D0232216

DE WEG NAAR HET HART

Jan van Reenen

De weg naar het hart

CITERREEKS

Eerste druk in deze uitvoering 2006

Omslagillustratie Jack Staller
ISBN 90-5977-121-4
NUR 344

www.citerreeks.nl

I

Annelies trekt haar sjaal wat strakker om zich heen en gaat wat dichter bij Peter lopen, want er staat een koude wind. Zij had vrij kunnen krijgen op deze zaterdagmiddag en ze heeft ervan geprofiteerd door Peter mee te vragen voor een wandeling.

Ze lopen over een zandpad met aan de ene kant weilanden en boerderijen en aan de andere kant een sloot. Daarachter is de bosrand met eikenbomen en adelaarsvarens die bruin beginnen te worden.

Annelies' stemming knapt op nu ze in de natuur is. Ze heeft Peter een hand gegeven, maar ze heeft geen behoefte om te praten en ook Peter zegt niets. Ze volgt met haar ogen een blaadje dat van een boom dwarrelt op zijn tocht naar beneden en raadt waar het zal neerkomen. Mis, het blaadje komt verder weg neer dan ze dacht, meegenomen door een plotselinge windvlaag. Met haar ogen blijft ze het vasthouden terwijl ze verder lopen.

Af en toe ploft een eikel op de zandweg. Tussen de blaadjes liggen heel wat eikels, auto's hebben er een aantal in het zand gereden. Er zijn ook eikels. Haar gedachten gaan terug naar haar schooltijd toen zij wel met eikels en lucifertjes mooie figuurtjes maakte. Het was niet altijd even gemakkelijk om gaatjes in de eikels te prikken en ze heeft zichzelf meerdere keren met de schaar geprikt, maar na een middag werken stond er doorgaans een hele rij figuurtjes: muzikanten, ambachtslieden of een schoolklas.

Aan de bosrand zit een groepje vinken, dat misschien op najaarstrek is. Ze houdt haar pas in en trekt Peter aan zijn mouw om hem te beduiden dat hij ook moet stoppen. Een streepje zonlicht strijkt over de groep, zodat ze de witte vlek op de vleugels en de dikke snavels goed kan zien. De vogels scharrelen over de grond op zoek naar iets eetbaars.

Ineens vliegen ze met z'n allen op en gaan ze er in een zwerm vandoor; misschien kwam het door een plotselinge windvlaag.

Het is al lang geleden dat ze samen een ontspannen wandeling gemaakt hebben, omdat Peter de laatste tijd zo druk is. Het accountantskantoor waar hij werkt heeft een bedrijf overgenomen en dat brengt veel extra werk met zich mee. Tot overmaat van ramp is er iemand weggegaan, voor wie nog geen nieuwe medewerker is aangetrokken en Peter heeft daardoor een aantal extra klanten gekregen. Protesteren hielp niet, want iedereen wordt geacht over te werken als het nodig is.

Peter komt de laatste tijd niet meer bij hen thuis dan nodig is. Alleen de zaterdagavond is voor hen beiden. De zondagen zouden ze ook gezamenlijk kunnen doorbrengen, maar dat doen ze niet vaak, omdat hun ouders het liever niet hebben.

Annelies was blij dat ze zaterdagmiddag vrij kon krijgen, zodat ze samen een wandeling konden gaan maken. Het leek op een teleurstelling uit te draaien, toen Peter niet blij bleek te zijn. Ze vergeet zijn verraste gezichtsuitdrukking niet zo gauw, toen ze hem zei dat ze vrij had, het was alsof er een wolk over trok.

'Vind je het niet leuk?' had ze gevraagd.

'O, jawel, maar ik ben zo druk,' had hij gemopperd.

'Dan is het toch juist fijn om er even tussenuit te gaan, zodat je daarna des te harder kunt werken, omdat je fijn uitgerust bent?'

Hij had er zich met een grap vanaf gemaakt. 'Als ik het goed begrijp heb je liever dat ik op zaterdagavond ga werken?'

'Zo bedoel ik het niet,' had ze, een beetje kattig, gezegd. Meteen had ze spijt van haar opmerking, want hij was gepikeerd, hij keek zelfs van haar weg het raam uit, net alsof hij in het weiland wat bijzonders zag.

'Sorry Peter,' had ze daarna met zachtere stem gezegd. Toen hij weer opkeek ontmoetten hun ogen elkaar en was alles weer als vanouds.

'Nou, dat is dan afgesproken, ik kom om drie uur naar je toe en dan maken we een mooie wandeling door de omgeving.'

De wandeling had een slechte start, omdat Peter niet klaar was op de afgesproken tijd. Hij verontschuldigde zich omstandig, door te zeggen dat hij druk was en nog iets moest afmaken. Ze deed net alsof ze het niet erg vond, maar intussen voelde ze zich vanbinnen een beetje kriebelig worden. Waarom heeft Peter wel tijd voor zijn werk en niet voor haar? vroeg ze zich af.

'De herfst heeft zijn eigen bekoring,' zegt ze, terwijl ze opkijkt naar Peter.

'Dat is een echte boekenzin, ik vind de lente mooier.'

'Ja, dat wel, de lente heeft iets speciaals met al die bloeiende bloemen en zingende vogels, maar nu is het toch ook mooi? Kijk eens, hoe schitterend die Amerikaanse eik bezig is te verkleuren.'

'Ik blijf de lente mooier vinden,' zegt hij nogmaals, zonder echter te kijken.

'Jij denkt zeker aan die keer dat we de nachtegaal hoorden zingen?'

'Nachtegaal, nee hoor, ik weet niet meer dat we een nachtegaal gehoord hebben.'

'Ben je dat nu al weer vergeten of dacht je aan het bosje bloemen dat je voor me geplukt hebt?'

'Nee, daar dacht ik ook niet aan, hoewel ik me die gebeurtenis nog goed herinner, het was volgens mij onze eerste ontmoeting.'

Annelies ziet een glimlachje op zijn gezicht verschijnen, wat haar goed doet. 'Nee jochie, het was niet de eerste keer,' zegt ze, terwijl ze hem in zijn hand knijpt.

'Wanneer was de eerste keer dan?'
'Dat was toen met die pinken die niet in het land wilden.'
'Pinken, wat bedoel je?'
'O, joh, jij bent nog een echte stedeling, ik bedoel die koeien die bijna op de weg kwamen en toen heb jij nog zo goed geholpen door ze terug te drijven.'
'Vond je me toen al leuk?'
'Wat heb jij een verbeelding zeg!'
Direct daarop buigt hij zich naar haar toe en geeft haar een kus.

Als ze na enige tijd verder lopen, wordt haar aandacht getrokken door een zwartbonte koe die in het weiland ligt, in een hoek bij de bosrand, ver bij het andere vee vandaan. Dat is vreemd, weet ze, want een koe is een kuddedier dat het liefst bij andere koeien is. Dichterbij gekomen ziet ze dat de koe niet alleen is. Wat ligt daar toch? Ineens ontdekt ze dat het een kalfje is. Het is zeker aan de aandacht van de boer ontsnapt dat de koe gekalfd heeft. Als ze dichterbij komen ziet ze dat de koe opstaat, een beetje wankel op de poten - wie weet hoe kort het nog maar geleden is dat het dier gekalfd heeft - en het kalfje begint af te likken. Zodra ze op enkele meters afstand zijn, beurt de koe de kop op om te kijken wie die indringers zijn. Annelies kijkt Peter aan om te beduiden dat ze niet verder moeten gaan, maar dat had hij zelf ook al begrepen. De koe gaat verder met het aflikken van het kalfje, net alsof zij er niet zijn. Als ze bewegen kijkt de koe weer op en het blijft in hun richting staren. Het kalfje ligt met de voorpootjes krom en het kopje omhoog. Ze zijn er zo dichtbij dat ze kunnen zien dat een gedeelte van het beestje droog is, terwijl de rest met een soort slijm bedekt is.
'Moeten we de boer niet waarschuwen?' vraagt Peter bezorgd.
Annelies aarzelt. Er zijn tegenwoordig boeren die hun

koeien expres in het land laten, maar de meesten halen hun dieren naar de stad, zodat ze rustig binnen kunnen kalveren. En het is nu in de herfst geen weer voor een kalfje om ter wereld te komen. Maar ja, met boer Van Eeghen weet je het nooit, die heeft wel meer zonderlinge opvattingen en de kans bestaat dat ze voor schut zullen staan als ze naar hem toe gaan. Ze kijkt een keer onzeker naar de boerderij, net alsof dat helpt en dan ziet ze tot haar verrassing iemand naar buiten komen, die in hun richting kijkt. Ze wenkt een keer met haar hand, waarna de ander zijn hand als groet opsteekt.

Dat is niet haar bedoeling! Ze wenkt nog een keer en als Peter ook begint te zwaaien, heeft de boer in de gaten dat er iets aan de hand is. Hij verdwijnt achter een schuur om even later zittend in de cabine van zijn rode Case terug te komen. In volle vaart scheurt hij het erf af, houdt even stil om een hek open te doen en rijdt dan vol gas over het land. Binnen een paar minuten is hij bij hen en rijdt hij met een boog naar de koe en het kalfje toe. De trekker stopt, Van Eeghen komt uit de cabine, klapt het deurtje dicht en komt naar hen toe.

'Ik dacht al dat er iets aan de hand was, want je zwaaide zo lang en ik had wel in de gaten dat je het niet voor mijn persoon deed. Ik ben blij dat jullie de moeite genomen hebben om mij te roepen, want het was niet de bedoeling dat de koe in het land zou kalveren.'

'Waarom hebt u hem niet naar binnen gehaald?'

'Ik dacht dat het nog wel een poosje zou duren. Dan ga ik nu het kalf opladen.'

Op het moment dat Van Eeghen naar de koe toegaat draait het dier zich naar hem toe met de kop omlaag en de horens naar voren, klaar om de aanval op het kalf af te weren, zo lijkt het. Annelies kent koeien als tamme dieren, waarmee je gemakkelijk kunt omgaan en ze schrikt eerst een beetje van de houding van de koe. Toch is ze tegelijkertijd benieuwd hoe het zal aflopen. Ze ziet dat Van

Eeghen een bocht maakt en de koe van een andere kant probeert te benaderen, maar dat helpt hem niets, want de koe draait mee, aldoor met de kop naar de boer toe gericht en als hij een stap naar voren doet gaat de kop iets omhoog. Annelies is teleurgesteld dat de boer al gauw naar de trekker toeloopt en erin stapt. Toch is hij niet van plan om weg te gaan, want hij rijdt langzaam met de trekker naar achteren tot hij vlak bij de koe is. Het dier heeft in de gaten dat het tegen de trekker niet opkan en doet niets. Annelies ziet wel, dat het dier zenuwachtiger wordt, want het slaat met een achterpoot in het gras.

De boer stapt uit de trekker om het kalf te pakken, maar eer hij erbij is, vindt hij opnieuw de kop van de koe op zijn weg. Voordat de boer zich terugtrekt gaat er een hulpeloze blik naar Annelies en Peter.

'Zullen wij helpen?' vraagt Annelies, die haar boerenhart voelt spreken, het is immers zowel voor de koe als het kalf nodig dat het jonge dier wordt opgehaald, ook al begrijpt de koe het niet.

'Niet doen, joh,' waarschuwt Peter. 'Die boer is zelf niet op tijd gekomen en je ziet toch hoe kwaad de koe is?'

'Als jij niet helpt, ga ik alleen,' antwoordt Annelies kortaf, 'dat kalfje moet toch geholpen worden?'

'Je doet het niet!'

Annelies kijkt Peter bevreemdt aan en antwoordt dan: 'Ach joh, jij bent geen boer.'

Ze trekt zich verder niets van hem aan en springt over de sloot, waarna ze onder het prikkeldraad doorkruipt en naar de boer toeloopt, die zo te zien niet goed weet wat te doen.

'Dat is een moeilijk geval, hè?'

'Nou, ik had de koe eerder naar binnen moeten halen, maar nu het zover is, wil ik het kalf hier niet laten liggen. Komt je vriend niet helpen?'

'Ik denk dat hij geen zin heeft, hij komt niet van de boerderij en hij zal wel bang zijn dat hij het verkeerd aanpakt.'

'Stadslui!'

Annelies kijkt expres niet naar Peter, die deze woorden wel gehoord zal hebben. 'Hoe wilt u het aanpakken?' vraagt ze.

'Kun jij trekker rijden? Ja, dan stap jij op de trekker en je rijdt achteruit naar de koe toe. Ze zal zich dan op jou concentreren en dan kan ik intussen van de andere kant dichterbij komen en het kalf wegtrekken. Tegen de tijd dat ze in de gaten heeft wat er aan de hand is, heb ik het kalf al een eind weggesleept en dan kom jij snel naar me toe zodat ik het op het liftbakje kan leggen.'

Annelies heeft er een zwaar hoofd in en ze wil bedenkingen opperen, maar hij maakt een afwerend gebaar met zijn hand, wat betekent dat ze nu niet meer moeten praten maar doen. Ze stapt in de cabine van de Case, waarvan de motor nog aanstaat. Ze is trekker rijden gewend, hoewel ze nog nooit met een Case gereden heeft. Haar vingers glijden over de versnellingspook, even kijken waar de vooruit en de achteruit zitten. Een ogenblik dwalen haar ogen naar Peter, die nog steeds aan de kant staat. Ineens komt de gedachte aan zijn boosheid weer bij haar op en ze vraagt zich af of hij nu nog boos is. Een moment ziet ze zijn gezicht en het lijkt wel alsof de woorden van daarstraks nog op zijn gezicht staan; alle mensen, wat een eigenwijze hark! Het kan haar niets schelen! Ineens ziet ze het tafereeltje van die zondagmiddag weer voor zich, toen Peter hielp met het in het weiland doen van de koeien, toen was hij heel anders.

Dan klemt ze haar handen om het stuur en kijkt door de vieze voorruit naar voren om te zien waar ze heen moet. Van Eeghen geeft al met een armzwaai aan hoe ze moet rijden, eerst vooruit om de koe af te leiden en dan met een boog terug. Ze voelt zich een beetje rood worden, want zo vaak rijdt ze nu ook weer niet. Wat maakt het eigenlijk ook uit dat Peter staat te kijken! Ze laat de koppeling opkomen en met een ruk schiet de trekker vooruit, net iets te snel voor mooi. Gelukkig heeft ze een leeg weiland voor zich, zodat ze niet bang hoeft te zijn dat ze ergens tegenaan rijdt.

Ziezo, ze is ver genoeg gereden en kan nu achteruit.

Vanuit haar ooghoeken ziet ze dat Van Eeghen inmiddels aan de andere kant van de koe staat, terwijl het dier angstvallig naar haar blijft kijken. Zodra ze terugrijdt, gaat de kop van het dier weer naar beneden om het kalf te verdedigen. Er gaat iets van meelij door Annelies heen, waaraan ze echter niet toegeeft en ze concentreert zich om goed te rijden, terwijl ze intussen flink gas geeft om de aandacht van de koe te trekken. Het gaat goed, want terwijl ze bijna bij de koe is, komt Van Eeghen aan de andere kant en trekt hij aan het kalf. Ze remt, trapt de koppeling in en geeft dan heel veel gas om de koe af te leiden. Het lukt! Van Eeghen sleurt het kalf in een snelle ren door het gras zonder dat de koe het merkt. Nu moet ze snel naar hem toegaan, zodat hij het kalf op het bakje kan leggen.

Annelies zet de versnelling weer in de vooruit en met een schok gaat ze vooruit. Snel rijdt ze naar Van Eeghen toe, die toch zeker een meter of tien bij de koe vandaan is, maar het dier dat niet van plan is om het op te geven, komt naar hen toelopen. Annelies rijdt nog iets sneller en is juist voor de koe bij Van Eeghen, die het kalf snel op het bakje legt, terwijl zij uit de cabine stapt. Haastig klimt Van Eeghen in de trekker en gaat er vandoor, Annelies met de koe achterlatend. Zou het dier haar aanvallen, omdat het haar ziet als degene die het kalf afgepakt heeft? Nee, de koe loopt achter de trekker aan en begint te loeien als ze terrein verliest. Annelies krijgt nog meer meelij met de koe, maar ze beseft tegelijkertijd dat je niet altijd je hart kunt laten spreken. Ze moet terug naar Peter die op haar staat te wachten.

Als ze in de buurt van het prikkeldraad komt ziet ze aan zijn gezicht dat hij nog boos is.

'Schiet nou op, Annelies!' roept hij.

Ze antwoordt niet, maar legt er om hem te gerieven toch een schepje bovenop, snel onder de draad door, te snel, want ze hoort iets kraken. Bah, nu heeft ze een scheur in haar jas. Ze voelt de boosheid in zich opvlammen om Peter en om de koe en om... Het leek zo'n fijne middag te worden...

Terwijl ze naar hem toeloopt kijkt ze onderzoekend naar zijn gezicht, maar voordat ze daarmee klaar is, valt hij al uit. 'Vind jij het niet gemeen om de koe van haar kalf te beroven?' Hij voegt eraan toe: 'Jij wilt zeker zeggen dat het beter is voor het kalf, maar je zag toch zelf hoe de koe haar kind verdedigde? Eerst kijkt die man niet naar zijn vee om en als het kalf net geboren is, haalt hij het op zo'n manier weg, bah!'

'Ik kan wel merken dat jij uit de stad komt, je hebt geen verstand van het boerenvak,' antwoordt ze scherp. Het is zijn eigen schuld, want hij begon met deze ruzie, vindt ze, maar diep van binnen voelt ze de pijn.

'Dat heeft er niets mee te maken,' antwoordt hij. Annelies hoort de geraaktheid in zijn stem. De stand is weer gelijk.

'Zullen we verder gaan?' stelt ze op neutrale toon voor, zonder hem aan te kijken.

'Goed,' zegt Peter met een stem waaruit de boosheid nog niet verdwenen is.

Ze wil hem een hand geven, zoals ze altijd doet als ze samen lopen, maar hij steekt zijn handen in zijn zakken en haar hand glijdt doelloos langs zijn jas naar beneden. Het is hem menens, beseft Annelies en ze trekt haar hand terug. Dan moet hij het zelf maar weten!

Zwijgend lopen ze verder, Peter af en toe een eikel wegschoppend en zij kijkend naar vogels en dwarrelende bladeren, die ze nu niet echt ziet, want de aardigheid is er voor haar af. Ze vraagt zich af wat er misgegaan is. Heeft zij iets verkeerd gezegd, wat Peter in het verkeerde keelgat geschoten is? Ergerde Peter zich werkelijk aan het gebeurde of vond hij het gewoon vervelend dat hij zo lang moest wachten? Zei hij nu maar iets, dan konden ze erover praten, maar Peter blijft zwijgen en zij durft er niet direct over te beginnen uit angst dat hij nog bozer zal worden. Is er misschien iets met hun relatie aan de hand zonder dat ze het in de gaten heeft? Ze zou het liefste naar huis gaan, maar dat is natuurlijk helemaal een slag in het gezicht van Peter. Ze houdt zich voor dat zijn stemming dadelijk wel zal verbeteren en ze weet dat ze zelf ook niet volmaakt is. Ze heeft immers ook haar buien en ze is ook wel eens onredelijk chagrijnig als ze thuiskomt wanneer het druk geweest is in de winkel. En hoeveel geduld heeft haar moeder altijd met haar gehad?

Vijf minuten later begint het op haar zenuwen te werken dat Peter nog niets gezegd heeft. Zal ze het gesprek beginnen en net doen alsof er niets gebeurd is? Ze ziet een eindje verderop een trekker met een grote maïskar rijden, die ze met haar ogen volgt tot die bij een boerderij het erf oprijdt. Dan ziet ze dat ze daar bezig zijn een maïskuil te maken. Een andere trekker met kar rijdt juist weg en een kuilverdeler rijdt heen en weer op de kuil. 'Kijk eens, daar zijn ze bezig met een maïskuil,' zegt ze, wijzend met haar hand.

'Ja, ik zie het,' zegt Peter, 'het is er tijd voor, er is al heel wat kuilvoer binnengehaald. Heeft jouw vader de maïs al in de kuil?'

Ze kijkt hem bevreemd aan en zegt: 'Peter, weet je dat niet? Wij hebben de maïskuil al een week klaar, je hebt toch zelf gezien dat ze er mee bezig waren, we hebben het er pas nog over gehad.'

'O ja, dat is waar ook, ik was het even vergeten.'

'Geeft niet hoor, ik vergeet ook wel eens wat. De laatste tijd is het druk in de boekwinkel, de avonden worden weer langer en de mensen willen graag 's avonds lezen. Pas was er een jongeman, die een boek bestelde en op de een of andere manier ben ik de bestelling helemaal vergeten door te geven. Toen die jongeman terugkwam, was het boek er dus niet. Ik heb hem eerlijk gezegd dat ik het vergeten was. Er zijn ook winkels waar ze in zulke gevallen een smoes bedenken, maar ik vind dat je dat als christen niet mag doen.'

'Iemand anders mag dat ook niet doen!'

'Nee, natuurlijk niet, maar eh... ik ook niet. Ik vind het belangrijk om eerlijk met mensen om te gaan.'

Peter blijft even staan en zij houdt haar pas ook in en draait haar gezicht naar hem toe. Dan zegt hij langzaam: 'Wel met mensen maar niet met dieren.'

'Hè Peter, stop daar nu eens mee! Ik meende dat ik Van Eeghen moest helpen. Ik zeg er toch niets van dat jij niet geholpen hebt?'

'Dat moest er nog bijkomen! Jij meende dat je Van Eeghen moest helpen, maar ik meende dat je de koe zou helpen en dat heb je niet gedaan. Zag je hoe dat stomme dier de trekker met het kalf volgde en begon te loeien? Het valt me van je tegen dat je je zo gemakkelijk aansluit bij die boerengewoonten hier in de buurt. Nee, laat me eens uitpraten. Als je ziet hoe de boeren met de varkens omgaan als die de vrachtwagen opgaan om vervoerd te worden! Je wilt toch niet zeggen dat het allemaal diervriendelijk is? Nou en als je dan die kippen in de kooitjes ziet zitten! De boeren zijn tegenwoordig geen dierenliefhebbers, ze doen het alleen maar voor het geld. Iedereen is uit op de poen en verder scheelt het hen niks.'

'Peter, jij bent geen boer en ik vind je onredelijk, je begrijpt de mensen hier niet.'

'Ik wil nooit boer worden en ik hoop dat jij je van deze wereld zult distantiëren.'

'Laten we erover ophouden. Brr, ik vind dat het koud begint te worden en als ik het zo bekijk krijgen we regen, kijk maar naar de wolken. Ik denk dat we hard moeten doorlopen om voor de bui terug te zijn. Het weer verandert snel, de afgelopen nacht heeft het nog gevroren. Mijn moeder heeft de andijvie toegedekt met plastic. Daardoor bevriest de andijvie niet en kunnen we vaak nog in december andijvie uit de tuin eten.'

'Mijn ouders hebben nu ze hier wonen ook een groentetuin, maar ik denk dat het goed voor hen zou zijn om bij jouw moeder in de leer te gaan.'

'Nou, dan vragen we het toch gewoon!'

Annelies is blij dat de stem van Peter weer gewoon klinkt, ze ziet dat zijn gezicht zich ook weer begint te ontspannen. Ze zoekt in haar gedachten naar een ander onderwerp dat hem rustig zal stemmen.

'Ik heb een nieuw antivirusprogramma aangeschaft, het oude was verlopen en ik durfde het niet aan zonder zo'n programma, want als je een virus binnenkrijgt ben je nog niet klaar.'

'Zeg dat wel,' bromt Peter, terwijl hij een eikel wegschopt, 'een collega van me op het werk was altijd heel makkelijk. Hij had nooit last van virussen, beweerde hij, totdat hij er een in zijn computer kreeg. Toen hij zijn machine opstartte, verscheen er geen tekst maar een afbeelding van een aapje dat hem uitlachte. Ik zat naast hem toen het voor de eerste keer gebeurde en ik zag hoe hij schrok. Eerst probeerde hij zijn scherm voor mij te verbergen, maar toen hij zag dat ik keek, gaf hij toe dat er iets fout was en vroeg hij mij om advies. Ik vertelde hem dat dat nou een virus was, ha, ha, nou ja, het is allemaal weer goed gekomen, want het bleek een vrij onschuldig virus te zijn. Er zijn echter ook virussen die hele stukken uit je programma of een bestand weghalen en dan zijn de rapen gaar! Je zult maar net een dag ergens aan gewerkt hebben en dan: weg bestand... Ik snap niet dat mensen zo gemakkelijk kunnen zijn!'

'Gert vond me kinderachtig dat ik het programma betaalde. Hij zei dat hij wel vijf programma's kende die hij eenvoudig kon downloaden, maar het mag gewoon niet en daarom wil ik ervoor betalen.'

'Die Gert doet gewoon waar hij zelf zin in heeft. Ik heb niet het idee, dat hij zich veel van de geboden aantrekt, oftewel dat hij alles doet wat God verboden heeft, zoals ze wel eens zeggen.'

'Nou, nou, Peter, iets minder mag ook wel. Gert is het type van vrijheid, blijheid.'

'Ja, maar hij zou toch eens moeten beseffen dat dat verkeerd gaat. Het is in het leven niet allemaal vrijheid, blijheid. Een mens heeft zijn verantwoordelijkheid, hij moet hard werken voor zijn brood en zich aan de geboden van God houden. Doet hij dat niet dan gaat het mis.'

'Ja, dat zie je in de maatschappij van nu. De mensen dachten tot voor kort dat alles kon, maar ze komen er steeds meer achter dat er dingen fout gaan en je ziet de angst toenemen.'

'Als de mensen zich maar aan Gods geboden gehouden hadden, was er niet zoveel fout gegaan. Het is toch erg wat er gebeurt: al dat zinloos geweld en dat terrorisme. Die lui zijn gewoon gehersenspoeld.'

'Ik vind dat je niet zomaar alles mag zeggen, Peter. Er zijn mensen in Nederland die menen dat de vrijheid van meningsuiting onbeperkt is. Ze beledigen de ene keer God en de volgende keer Allah, gewoon omdat ze daar zin in hebben. Dat kan toch niet, want dat is toch spotten met het heiligste van de godsdienst?'

'Wil je het opnemen voor terroristen?'

'Helemaal niet, niemand mag een ander doden en de meeste moslims zullen ook niet overgaan tot geweld als hun godsdienst naar beneden gehaald wordt. Maar er zijn radicale moslims die denken dat ze in de naam van Allah de beledigers moeten doden, zoals de moordenaar van Theo van Gogh in Amsterdam gedaan heeft. Maar Nederlanders mogen moslims ook niet op het hart trappen.'

'Dan hoeven ze nog niet zo te reageren!'

'Nee, natuurlijk niet, dat zei ik net toch, je hoeft niet boos te worden op mij. Natuurlijk hoeven ze niet zo te reageren, daarover zijn we het wel eens.'

Annelies zucht, ze begon juist express over een onderwerp, waarvan ze dacht het samen eens te zijn en nu loopt het weer mis! Waarom is dit geen fijne middag?

Als de eerste regendruppel op het gezicht van Annelies valt, kijkt ze naar de lucht en ze ziet dat de bui snel nadert.

Peter zegt: 'Ik geloof dat we kletsnat worden, als we nu niet bij die koe waren blijven staan, waren we misschien al bijna thuis geweest.'

'Begin je weer over die koe?'

'Het is toch zo?'

'Joh, je weet zelf ook wel hoe het kwam, ik wil niet dat je daar weer over begint.'

'Ik heb niets verkeerds gezegd,' zegt Peter en zijn stem klinkt verbeten.

Annelies laat het maar, ze heeft geen zin om opnieuw ruzie te krijgen, maar ze vraagt zich intussen wel af waarom ze deze middag alleen maar twistgesprekken kunnen voeren.

Een hevige windvlaag neemt een groot aantal regendruppels mee en dan begint het ineens hard te regenen. Annelies trekt Peter onder de boom, waar zij direct is gaan staan en kijkt om zich heen naar een betere schuilplaats. 'Daar is het schapenhok, kom mee!' roept Peter. Hij neemt haar bij de hand en samen rennen ze naar het hok toe. Annelies vindt het heerlijk dat Peter haar weer een hand geeft. Met grote sprongen holt ze achter hem aan. Ze zijn behoorlijk nat als ze tegen de buitenmuur staan, in de beschutting van de schuur. De regen druipt van haar gezicht. Met een zakdoek die ze in een zak van haar jas vindt, maakt ze het droog, Peter doet hetzelfde met de zijne. Ze kijkt hem glimlachend aan. Waarom komt op dit moment de gedachte bij haar boven aan die andere keer dat het ging regenen toen ze naar de schapenstal gingen en ze hem verdacht van verkeerde bedoelingen? Met geweld dringt ze die gedachten terug en ze dwingt zichzelf aan het moment van zo-even te denken, toen ze zo vrolijk achter hem aan holde.

Annelies kijkt naar Peters gezicht en op hetzelfde ogenblik kijkt hij naar haar. Ze ontdekt nog wat water in zijn haar en over zijn wang loopt een regendruppel naar beneden. Haar ogen ontmoeten de zijne en ze voelt zich blij worden met deze vertrouwelijkheid, maar ineens verandert er iets in zijn ogen en in zijn ademhaling. Die wordt sneller en zijn ogen stralen iets uit, dat ze er nooit in gezien heeft en dat ze geen naam kan geven, maar dat haar verontrust en aantrekt tegelijkertijd. Iets diep binnenin haar zegt dat ze moet oppassen. Tegelijkertijd is er een groot verlangen in haar naar Peter als hij tegen haar aanstaat. Ze voelt dat hij het ook fijn vindt en ze is weer blij, want ze horen toch bij elkaar?

Als Peter haar hand aanraakt vindt ze het heerlijk, het is net zoiets als ze voelde toen ze elkaar voor de eerste keer ontmoetten.

'Kom, we gaan naar binnen, want we worden hier nat en bovendien staan we op de tocht,' zegt Peter met een beetje hese stem en hij kijkt haar recht in de ogen. Ze voelt opeens de verliefdheid door haar lichaam heen gaan, haar adem gaat sneller en haar hart begint wild te kloppen. Dit moment moet ze vasthouden.

Peter opent de verveloze deur en dan ziet ze het schapenhok van binnen. Het is jaren geleden dat ze hier geweest is en er is intussen niet veel veranderd, het staat al jaren leeg. Het is er schemerig, omdat er maar een enkel raampje is en het ruikt muf. In het pannendak zit een gat, waardoor de regen in een straaltje naar beneden komt en een plas vormt op de grond. De planken en balken van de zoldering zitten vol spinnenwebben. De ruimte is blijkbaar na het vertrek van de schapen niet meer veranderd. Met planken en balken zijn verschillende afdelingen gemaakt voor de schapen en in een hoek ligt nog een hoop hooi.

Annelies vindt het fijn dat Peter haar tegen zich aantrekt terwijl ze de ruimte binnengaan. Peter fluistert: 'Kom, we gaan daar in de hoek staan, daar regent het niet naar binnen.'

Ze lopen langs de plek waar het water naar beneden drupt naar de tegenover hen liggende hoek van het hok, die het verst verwijderd is van de deur, waar het schemerig is. Daar blijft Peter staan en trekt in een plotselinge beweging haar gezicht naar zich toe en begint haar onstuimig te zoenen, terwijl hij zijn armen om haar middel slaat. 'Annelies, liefje,' zegt hij. Annelies voelt zich opgewonden worden, ze geeft zich helemaal over en fluistert 'lieve Peter'. Ze voelt zich wegzweven en ze is zich niet meer bewust van haar omgeving, alleen maar dat het heerlijk is met Peter. Even kijkt ze naar zijn ogen, die zich in de hare boren, dan sluit ze haar ogen weer en laat zich wegvoeren. Zo moet het blijven! Ze voelt zijn handen aan de binnenkant van haar jas en ze ondergaat zijn strelingen vol genot. Als hij haar trui, haar blouse en haar hemd uit haar rok frunnikt, nestelt ze zich nog dichter tegen hem aan. Als vanzelf gaan haar handen onder zijn jas.

Een siddering gaat over haar rug als ze zijn handen over haar blote lijf langzaam omhoog voelt gaan, eerst over haar rug, daarna over haar buik, hoger en hoger. Haar ademhaling begint sneller te gaan en haar hart begint te bonzen. Haar hand trekt vanzelf Peters bovenkleding los uit zijn broek, tot ze zijn blote buik voelt. Opnieuw siddert ze van genot. Ze laat Peters handen begaan.

Het wordt anders als Peter haar langzaam naar beneden drukt. Ineens gaat er een lampje branden! Ineens houdt het bonzen van haar hart op en begint ze weer te denken en maakt zich een redeloze angst van haar meester. Ze biedt tegenstand en blijft rechtop staan. Peter drukt harder, nog steeds tegen haar aangeklemd. Ze weet dat hij sterker is dan zij en dat zij dit niet lang zal kunnen volhouden. Als ze merkt dat Peter al zijn krachten begint te gebruiken, rukt zij zich onverwacht los van hem en doet een stap naar achteren: 'Nee, Peter, dit wil ik niet!' roept ze met een schrille stem, waarvan ze zelf schrikt.

Peter doet een stap naar haar toe, wil haar weer in zijn armen sluiten en zegt: 'Kom, Annelies, kom bij mij en laten we het fijn hebben samen. Wij horen toch bij elkaar?'

Maar Annelies doet opnieuw een stap naar achteren en zegt met besliste stem: 'Dit wil ik niet!'

'We horen toch bij elkaar, Annelies?'

'Daar gaat het niet om, maar dit wil ik niet en jij ook niet. We zouden er later spijt van krijgen.'

'Ik vind jou kinderachtig. Eerst ben je de hele middag kattig en dan wil je niet eens gewoon zoenen, dat doet toch iedereen?'

'Dit is niet gewoon zoenen!' bijt Annelies van zich af, terwijl ze haar kleren fatsoeneert. Ze hoeft alleen maar naar zijn verhitte gezicht te kijken om te weten hoe waar haar woorden zijn. Peter heeft zichzelf absoluut niet in de hand en ze mag blij zijn dat zij op het laatste moment terugschrok.

'Annelies, houd je niet van me?'

'Je weet drommels goed dat ik heel veel van je houd, maar ik ben geen meisje voor een pleziertje. Dat hoort niet en zo ben jij ook niet!'

'Jij bent gemeen, want je weet goed hoe ik ben, ik wilde alleen even in het hooi gaan zitten om te zoenen en jij denkt er dadelijk van alles bij. Ik vind het gemeen van je om dat te denken.'

Annelies vindt dat hij op een laffe manier terugkrabbelt. 'Man, je geeft genoeg aanleiding om het te denken, je stem was heel anders dan normaal en dan je ogen, vertel mij wat!'

'Annelies, je bent gemeen! Ik wil dat je je woorden terugneemt!'

'Ik denk er niet aan! Kijk liever naar jezelf!'

Op dat moment pakt Peter haar onverhoeds vast, maar ze rukt zich zo hard los dat ze haar kleren hoort scheuren en gaat meteen weer een stap naar achteren. Even kijkt ze of er een vluchtweg is naar de deur. Ze ziet dat Peter haar ogen volgt.

'Als je nog een stap dichterbij komt, zie je mij niet meer!' zegt ze met alle felheid die ze kan opbrengen.

Blijkbaar maken haar woorden indruk op Peter, want hij blijft staan zonder zelfs zijn voeten te verzetten. Langzaam ziet ze de uitdrukking in zijn ogen veranderen en merkt ze dat zijn handen zich iets ontspannen. Ze blijven lange tijd tegenover elkaar staan zonder iets te zeggen. Tenslotte voelt ze zich onbehaaglijk en weet ze niet meer wat te doen: moet ze nu tegen hem beginnen te praten of moet ze naar hem toegaan en hem een hand geven of moet ze zich omdraaien en kijken of hij haar achterna komt? Het laatste is in ieder geval niet goed, stel je voor dat hij haar niet achterna komt, dan heeft ze echt een probleem! Ze wil niet van hem af, ze weet maar al te goed hoeveel ze van hem houdt!

Peter lost op hetzelfde moment het probleem op, hij buigt zijn hoofd een bedje en zegt: 'Sorry Annelies.'

'Sorry Peter dat het zo ging, laten we het er niet meer over hebben.'

'Oké.'

Annelies kijkt naar zijn gezicht en ze voelt hoeveel ze van deze Peter houdt. Hij is authentiek en komt terug op zijn fouten. Een heilige is hij niet, evenmin als zij trouwens. Ze weet goed welke gedachten er door haar heengingen.

'Peter, ik houd van je,' zegt ze, naar hem toelopend en ze geeft hem een kus op zijn wang.

'Dankjewel Annelies,' zegt Peter, 'ik houd zo veel van je, maar als je toch eens wist hoe moeilijk het soms voor me is. Als ik heel druk ben, voel ik me soms zo gespannen en dan kom ik tot rust als ik aan jou denk en dan wil ik graag met jou zoenen.'

'Denk je dan wel op de goede manier aan mij?'

Peter kijkt schuldig naar haar op en geeft geen antwoord. Dan pakt ze voorzichtig zijn gezicht tussen haar twee handen en draait het langzaam naar zich toe. 'Kijk mij eens aan, Peter van me!'

Eerst zijn de ogen naar beneden gericht, maar dan richten ze zich langzaam op haar: bange, schuldige ogen, dat ziet Annelies duidelijk. Deze Peter kende ze tot nu toe niet. Ze kende wel de jongen die haar veroverd had, die haar meegenomen had naar de bezinningsavonden en die een stuk in de krant durfde te schrijven en met de burgemeester in gesprek ging.

Er is een andere Peter en dat is de jongen die naar haar verlangt, zich niet in kan houden en achteraf schuldbesef heeft en bang is.

'Peter, zeg eens eerlijk hoe je mij soms in je gedachten ziet.'

Opnieuw slaat hij zijn ogen neer en dan zegt hij langzaam: 'Dat weet je best, Annelies, je moet het me niet zo moeilijk maken.'

'Peter, ik heb net zulke verlangens als jij, maar we mogen niet te ver gaan, je moet eh... eh...' Ze wilde zeggen dat hij moet bidden, maar ze durft het niet. Zulke dingen zeg je niet zomaar tegen je vriend.

Er valt een stilte, die Annelies zich pas bewust wordt als ze het tikken van de regendruppels hoort door de kapotte dakpan van het schapenhok. Door een vuil raampje ziet ze een stukje blauwe hemel. Tegelijk met de gedachte aan God dringt het tot haar door dat het niet meer regent. 'Peter, zullen we gaan, het is droog.'

'Dat is goed,' zegt Peter met een stem, waarin het berouw nog doorklinkt. 'Wil je mij nog hebben, Annelies?'

'Natuurlijk wil ik jou hebben, gekkerd,' zegt ze en ze slaat haar armen om hem heen. 'Ik kan niet zonder jou,' fluistert ze in zijn oor. Het bezorgt haar een rilling van geluk, maar deze rilling is heel anders dan die van daarstraks.

Zij gaat voorop het schapenhok uit, hand in hand met Peter.

2

De deur van het café op de Markt gaat open en het schijnsel van felgekleurde lampen en flarden harde muziek komen mee naar buiten.

De kou van de herfstavond valt op de twee jongens die het café uitkomen, hun jassen dichtritsen en hun ogen aan het donker laten wennen.

Er komen juist een paar jongeren aan, waarvan een hen herkent. 'Hé, Gert en Wim, gaan jullie al, het begint nu pas gezellig te worden. O, dat is waar ook, jullie moeten op tijd thuis zijn.'

'We zijn niet de enigen,' grijnst Gert. 'We moeten een beetje opschieten, anders is pappie boos. Zie ik jullie morgen in de kerk?'

'Mij niet gezien, morgenvroeg moet ik uitslapen, dat bevalt me beter. Als je er moet komen dan kom je er toch wel,' zegt de dominee. Waar zou ik me dan druk om maken, of niet Pieter?'

Mijn vader zong vroeger het liedje: 'In de kark, in de kark, zei de dominee,' heeft hij zelf eens verteld.'

Er komt een jongen naar hun groepje toelopen, die blijkbaar gehoord heeft wat er gezegd wordt en ook een duit in het zakje wil doen. 'Ik hoor dat jullie christelijk zijn?'

'Ja, dat moeten we toch zelf weten, vrijheid, blijheid, of niet dan?'

'Vanavond zijn jullie in het café en morgenvroeg wil je naar de kerk?'

'Het gaat jou geen barst aan wat ik doe, Harm, als ik jou was zou ik heel erg gauw weggaan. Als je morgenvroeg naar de kerk wilt gaan, moet je wel wakker zijn en dan is het niet goed voor je om zo laat naar bed te gaan. Zeg, doe je de groeten aan de dominee?' vraagt Pieter, terwijl hij naar de deur van het café toegaat en die opent. Direct achter hem volgt zijn vriend.

Harm zegt tegen Wim en Gert die zijn blijven staan: 'Als ik jullie was, zou ik maar gauw naar huis toe gaan. Jullie ouders zullen er geen plezier van hebben als jullie...'

'Dag Harm,' zegt Gert, om eraan toe te voegen: 'Kom Wim, we zullen de scooter eens opzoeken.'

Wim zegt niets terwijl hij naast Gert naar het voertuig loopt, dat tussen andere scooters voor het bankgebouw staat. Wim weet dat hij nu rustig aan moet doen met Gert, omdat Harm hem op de zenuwen werkte. Wim houdt zich in zulke situaties meestal afzijdig, zodat hij er minder last van heeft. Irritant is Harm wel, want je moet toch zelf uitmaken wat je doet op zaterdagavond? De een gaat naar de jeugdvereniging en de ander gaat naar de disco of het café, zo simpel is dat.

Terwijl Gert bezig is om het slot van de ketting van de scooter los te maken ziet Wim dat er vijf jongelui uit het café komen die blijkbaar erge haast hebben. Een jongen loopt een meter of vijf voor de anderen uit, met de autosleutel in zijn al uitgestoken hand, ziet Wim bij het licht van de lampen op de parkeerplaats naast het bankgebouw. Het zijn drie jongens en twee meisjes telt Wim, die hen ineens herkent, althans twee van hen: Marja gaat op dezelfde school als hij en Henk gaat naar dezelfde kerk. Hij snapt wel, waarom ze haast hebben. Ze willen, net als zij, voor de zondag thuis zijn en het wegbrengen naar verschillende adressen kost tijd. Het is een vaste regel in de hele buurtschap dat je voor de zondag thuis moet zijn en dat betekent voor twaalf uur middernacht.

Wim vindt dat hij een plezierige avond heeft gehad. Hij heeft niet veel gedronken, een biertje of vier vond hij wel genoeg, veel drinken laat hij graag aan anderen over. Het was gewoon gezellig, hij heeft verschillende bekenden ontmoet en hij voelde zich lekker ontspannen.

Ook Gert, die rijdt, heeft niet veel gedronken. Gert weet

altijd maat te houden als hij moet rijden en als dat niet hoeft kan hij heel wat achterover slaan zonder dronken te worden. Wim bewondert Gert om zijn bravoure, maar hij heeft ook bewondering voor zijn zelfstandige zus Annelies, die een heel andere koers vaart. Ze gaat naar bezinningsavonden, ook al vinden zijn ouders dat niet fijn en ze gaat wel eens met Peter mee naar zijn kerk, wat zijn ouders ook niet waarderen. Kortom: ze gaat haar eigen gang en zo zou hij ook wel willen zijn, maar het lukt hem gewoon niet.

'Wat sta je te dromen joh, je hebt je helm nog niet eens op.'

'Sorry.'

'Je hebt zeker te veel gedronken?'

'Absoluut niet.'

'Nou, schiet op, we gaan!'

Even later rijdt de scooter met Gert aan het stuur en Wim achterop, het marktplein over. Als ze op de weg komen, remt Gert zo abrupt dat Wim tegen hem op vliegt en bromt: 'Wat is er nu weer?' Op hetzelfde ogenblik ziet hij wat er aan de hand is: de auto met die vijf jongelui, een blauwe Peugeot, komt keihard het parkeerterrein afscheuren en gaat rakelings voor hen langs. 'Onbenullen!' scheldt Gert.

Wim denkt aan de jongelui die proberen voor de zondag thuis te komen en zijn gedachten dwalen af naar Harm, die ook niet voor de zondag thuis zal zijn en morgen moeite zal hebben om niet in slaap te vallen in de kerk. Wat een mafkees is hij eigenlijk, want er is toch geen jongere die naar hem wil luisteren? Het enige wat hij in Harm bewondert is zijn zelfstandigheid, omdat hij er zich niets van aantrekt als hij fiks op zijn kop krijgt. Gert zegt dat Harm vroeger net zo was als zij, dat hij op zaterdagavond ook naar de kroeg ging en harde housemuziek draaide. Hij schijnt door contacten met een evangelisch meisje helemaal veranderd te zijn. Wim denkt aan zijn ouders die zeggen dat de evangelische godsdienst een makkelijke godsdienst is.

Evangelischen zeggen dat ze van Jezus houden, maar intussen luisteren ze wel naar moderne, keiharde muziek. Het enige verschil is dat in hun teksten de naam Jezus voorkomt. Zo kun je wel gemakkelijk christen zijn!

Wims ouders zeggen er de laatste tijd niets meer van als ze op zaterdagavond naar het café gaan en dat is maar beter ook. Wim had vroeger wel eens medelijden met zijn moeder als Gert haar weer eens een grote mond gaf. Ze zei niets meer nadat Gert gezegd had dat hij na twaalf uur thuis zou komen als zijn vader en moeder niet zouden ophouden met hun gezeur en het waren geen loze dreigementen. Hij zag dat zijn moeder toen een trek van pijn op haar gezicht kreeg, terwijl het gezicht van zijn vader op dat moment ondoorgrondelijk stond. Als zijn moeder Wim apart neemt heeft hij het wel eens moeilijk. Zij geeft hem het gevoel dat hij heel verkeerd bezig is en hij heeft zich wel eens voorgenomen om niet meer met Gert mee te gaan, maar zodra hij weer in zijn buurt is, wordt alles anders. Je bent wel klaar met zo'n moeder, die altijd overal zonde in ziet en hem een schuldcomplex bezorgt, terwijl ze zelf niet eens aan het Avondmaal gaat, omdat ze God niet kent, zoals ze zelf zegt.

Hoe zit het eigenlijk met de uitverkiezing? God heeft toch alles wat er op deze wereld gebeurt voorbeschikt? Als Wim morgenvroeg naar de kerk gaat, dan is dat de wil van God en als hij op zaterdagavond in het café gezelligheid zoekt dan is het ook de wil van God. Waar maken de mensen zich dan druk over? Hij is echt niet van plan om te gaan leven als een heiden. Waarom zou het verkeerd zijn naar het café te gaan, een paar pilsjes te drinken, bekenden en onbekenden te ontmoeten en een praatje te maken? Dacht je dat zijn vader vroeger nooit naar een café geweest is en nooit naar meisjes gekeken heeft? Hij moet ineens denken aan Ammely met haar mooie ogen die hij vanavond gesproken heeft.

Het is knap koud vanavond, het kan wel vriezen.

Zijn ze al ver? Nou, het duurt nog wel een minuutje of

tien voordat ze er zijn. Hij duikt weer weg achter de rug van Gert, maar voordat hij een goede houding gevonden heeft, dringt er op het alleronverwachtst een akelig geluid tot hem door. Al gauw begrijpt hij dat het de drietonige hoorn van een ambulance is en dan ziet hij, op behoorlijke afstand, het blauwe licht tussen de bomen door. Die blauwe lichtbanen in de zwarte nacht, die nu eens over de velden strijken en dan weer tegengehouden worden door de bomen, zijn angstaanjagend.

Wim vraagt zich af wat de ambulance hier doet en voelt angst opkomen. Gert lijkt nergens last van te hebben, hij jaagt op volle snelheid door. Enkele minuten later zien ze voor zich op straat een licht heen en weer bewegen ten teken dat ze moeten stoppen. De scooter komt vlak voor de man met het licht tot stilstand. Wim ziet achter hem een groot aantal mensen op de weg en in de kant staan en hij vraagt zich af wat er aan de hand is.

'Jullie kunnen niet verder, want er is een ongeluk gebeurd.'

'Wat is er gebeurd?' vraagt Gert.

'Er is een auto met een stel tieners tegen een boom gereden. Ik woon hier in de buurt en hoorde de klap, het leek wel alsof er een bom ontplofte. Je snapt niet waar ze zo gauw vandaan kwamen, want in een mum van tijd stond het hier vol met mensen, ondanks dat het zo laat is. De politie zal zo dadelijk wel komen, daar komt de ambulance.'

'Is het erg?' vraagt Gert kortaf.

'Ik denk van heel erg, maar ik moet zeggen dat ik het niet precies weet, omdat ze mij hierheen gestuurd hebben om anderen te waarschuwen. Er mogen niet nog meer slachtoffers vallen.'

'Kent u die jongelui?'

'Nee, ik niet, maar ik hoorde iemand zeggen, dat ze uit het café kwamen en hard reden om op tijd thuis te zijn.'

Wim voelt ineens zijn maag samenknijpen en staat als vastgenageld aan de grond. Hij weet wie het zijn! Het gaat vast en zeker om die jongelui, die hen bij de parkeerplaats voorbij kwamen scheuren. En in die auto zaten Marja en Henk! Hij moet er niet aan denken, dat...

'Kom op Wim, we gaan even kijken,' zegt Gert.

'Dan komen we te laat thuis.'

'Maakt dat uit!'

Wim stapt van de scooter af en Gert zoekt naar een geschikte plaats waar hij het voertuig kan neerzetten. Wim kijkt om zich heen en ziet dat de ambulance in snelle vaart nadert. Hij hoort ergens nog een andere sirene, misschien wel van een politieauto.

'Kom!' zegt Gert, die zijn scooter intussen neergezet heeft.

'Ik weet niet of het verstandig is om te gaan kijken,' zegt de man die hen zojuist gewaarschuwd heeft.

Gert geeft de man niet eens antwoord maar loopt rechtstreeks naar de plaats waar een aantal mensen, verlicht door de koplampen van een auto, in een groepje bij elkaar staat. Dan ontdekt Wim de auto, een blauwe Peugeot, die helemaal opgekruld is om een eikenboom; glassplinters liggen op de grond en op het dak, de radiateur ligt op de grond en er loopt water uit. Ze zijn het dus! Hij krijgt een steek bij zijn hart en voelt zich onpasselijk worden. Vanavond heeft hij Marja nog gezien, ze was een vrij rustig type, die meestal zat en maar af en toe wat dronk, zeker niet iemand om dronken te worden. Zijn hart lijkt wel samen te knijpen als hij verder denkt. Leven ze nog of zouden ze allevijf omgekomen zijn? Als je die auto zo bekijkt kun je haast niet geloven dat hier iemand levend uit gekomen is. Nu pas ziet hij dat twee mensen in de auto bezig zijn. Hij voelt zich zo misselijk worden dat hij het liefst direct zou weggaan, maar dat kan niet eens al zou hij het willen, want hij moet bij Gert achterop de scooter. Zijn broer loopt rustig door.

Plotseling ziet Wim iemand met een lijkbleek gezicht naast de auto op de grond op een deken liggen. Het is een meisje, ziet hij aan het haar, maar hij kan niet direct zien of het Marja is. Daarnaast ligt een jongen op een deken, wiens gezicht vol bloed zit en die een klein beetje kreunt. Hij leeft dus nog wel, maar zou hij erg gewond zijn? Een man buigt zich over hem heen. Ook hem herkent Wim niet direct, maar dat zegt niet zoveel. Gert loopt nog een paar stappen door, maar wordt dan tegengehouden door iemand, die zegt: 'Niet verder, we moeten wachten op de ambulance.'

'Dood?' vraagt Gert met een stem waarin geen emotie doorklinkt.

'Nee, zij niet, zij is er goed afgekomen,' zegt een man die erbij staat. Zij zat juist aan de goede kant, maar degenen die zaten op de plaats waar de boom in de auto binnengedrongen is, zijn vermoedelijk wel gestorven. Ze zitten nog in de auto, we kunnen hen er niet uitkrijgen en misschien mogen we dat ook niet doen. De andere hebben we er wel uit gehaald, omdat de auto eerst zo rookte en we bang waren dat hij in brand zou vliegen. Gelukkig, daar komt de ambulance, dan kunnen we verder.'

'Kan ik wat doen?' vraagt Gert.

'Ik denk het niet, maar als u even wilt blijven wachten, dan roep ik u wel als het nodig is.'

De gele ambulance met blauw zwaailicht en gillende sirene, stopt vlakbij de plaats waar zij staan. De in geelblauwe uniformen geklede ambulancebroeders springen er dadelijk uit; een van hen loopt regelrecht naar de gewonden toe, terwijl de andere de achterklep opent en wat spullen pakt.

Op dat ogenblik arriveert de politie. De agenten hollen naar de auto toe. Een van hen zegt direct: 'Willen jullie achteruit gaan, dan kunnen de ambulancebroeders hun werk doen.'

Langzaam gaan ze achteruit. Wim zou het liefste naar huis gaan, hij heeft nog steeds een flauw gevoel in zijn buik en hij staat te trillen op zijn benen. Ze kunnen toch niets doen.

'Zullen we gaan?' fluistert hij Gert in zijn oor.

'Even wachten, we moeten eerst weten hoe het met die

drie in de auto is, misschien kunnen we wat doen.'

'Het kan nog wel even duren,' antwoordt een jonge boer, die hier op zijn klompen naar toe gekomen is, 'ik denk dat de brandweer hen uit moet zagen en dat gaat niet snel, omdat ze het heel voorzichtig moeten doen, omdat er drie mensen in de auto zijn.'

Wim kijkt achterom en ziet dat er verschillende auto's op de weg staan te wachten met de stadslichten aan. Verder is het donker, alleen zie je bij een paar boerderijen in de omgeving een buitenlamp branden.

Wim ziet dat lijkbleke meisjesgezicht steeds voor zich, maar dan met bloedsporen. Hij ontdekt een paal, waartegen hij steun vindt, zodat hij niet valt.

In het spookachtige donker hoort Wim opnieuw een sirene of is het verbeelding? Op den duur weet je niet meer wat echt is. Even later komt er inderdaad een tweede ambulance aanrijden.

Twee ambulancebroeders komen aandragen met een brancard waarop iemand stevig vastgebonden ligt, maar Wim kan niet zien wie het is, want er ligt een doek over het gezicht. Misschien is het Marja wel.

Opnieuw klinkt het geluid van een sirene door de nacht, deze keer van een brandweerauto. De brandweerlieden moeten nu natuurlijk de inzittenden gaan bevrijden, omdat ze vastgeklemd zitten in de auto. Het is inmiddels al ver over twaalven, vader en moeder zullen wel ongerust zijn. Hen kennende weet Wim dat ze net zo lang op hen zullen wachten tot ze thuis zijn. Hij stoot Gert aan en zegt: 'Vader en moeder wachten op ons.'

'Dat kan ik niet helpen,' zegt Gert.

'Zal ik even bellen?'

'Dat zou ik maar doen, ja.'

Wim doet een paar stappen terug en toetst, een beetje aarzelend, het nummer van thuis in op zijn mobiel, bang voor de reactie van zijn ouders.

'Hé, Annelies, ben jij het. Ik ben blij dat ik jou krijg in

plaats van pa of ma.'

......

'Ik dacht wel dat ze zouden opblijven, we staan hier aan de Balvinkweg, er is een ongeluk gebeurd, een auto met vijf jongelui is tegen een boom gereden en ze zijn bang, dat... De ambulance gaat nu juist weg met een gewonde, er is nog een andere ambulance, die ook een gewonde wegbrengt en dan zijn er nog drie jongelui die in de auto zitten, omdat ze er niet uit kunnen. De brandweer komt er nu aan...'

......

'O, je hoort het geluid, ze zullen zo wel beginnen. Er stond iemand, die er direct bij was en die zei dat hij verwachtte dat ze alledrie... als je ziet hoe de auto om de boom heen gekruld is...'

......

'Nee, Gert wil hier blijven, hij wil weten hoe het met de andere drie is afgelopen en als het nodig is, wil hij helpen, ik verwacht niet dat het nodig is, want die brandweerlui kunnen dat werk zelf wel.'

......

'De brandweerauto staat nu bij de auto, ze stappen nu uit en halen een soort grote betonschaar te voorschijn, die vastzit aan een slang. Een van hen houdt de betonschaar vast en twee anderen met helmen op en grote handschoenen aan staan er bij. Nu brengt hij de schaar naar de zijkant van de auto waar een ruit kapot is, de uiteinden gaan erdoorheen en de schaar begint te knippen in de ijzeren dakstaander. Kun je horen wat er gebeurt?

......

'Nu gaan ze verder met een andere, ik denk dat het de bedoeling is dat ze alle staanders gaan doorknippen, zodat ze beter bij de slachtoffers ...eh kunnen komen.'

......

'Vind jij het ook een naar woord? Ik schrok van mezelf toen ik het zei, want een slachtoffer is iemand waarvan je denkt...nou ja...je weet wel wat ik bedoel.'

......

'Nee, het kost niet te veel, blijf nog maar even aan de lijn, dan kan ik je op de hoogte houden. Heb je tegen vader en moeder gezegd dat er een ongeluk is gebeurd?'

......

'O, ze hebben begrepen dat er iets ergs aan de hand is en ze luisteren met je mee? Zeggen ze niet dat wij onmiddellijk moeten thuiskomen, omdat het al zondag is?

......

'Dat is maar gelukkig, ik wil eigenlijk zo vlug mogelijk naar huis, want zoveel is er niet aan om hier te staan, maar Gert is niet van plan om weg te gaan, al duurt het nog een uur; hij staat vooraan te kijken.'

......

'Koud? Ik had er eerst helemaal niet aan gedacht, maar nu je het zegt, merk ik dat ik door en door koud ben, ik denk dat het vriest, het vreemde is dat je daarvan niets merkt als je zo in spanning verkeert.'

......

'Eigenlijk wel, ik wil het liever niet zien als de drie uit de auto gehaald worden, want ze zullen wel heel erg verminkt zijn.'

......

'Ja, nu hebben ze het dak losgeknipt en pakken vier mannen het voorzichtig vast met hun grote handschoenen en leggen het ergens anders neer. Gert en de anderen die staan te kijken dringen naar voren om te zien wat er met die jongelui aan de hand is, maar de politieagenten beduiden dat ze naar achteren moeten gaan. Nu is er één bezig met het weghalen van glas en een ander probeert het portier te openen. Het lukt niet direct, nu gaan ze ook de deur uitzagen, losknippen bedoel ik.'

......

'Het gaat heel snel, ik denk dat die deur nog maar op een paar plaatsen vastzat. Hij gaat open en een ambulancebroeder buigt zich voorzichtig in de auto...'

……

'Nee, hoor, blijf maar aan de lijn, dan houd ik je wel op de hoogte, ik kan nu niet goed zien wat er gebeurt, want er staan allerlei mensen voor, ja nu kan ik het weer zien, ze hebben iemand uit de auto gehaald en ik denk dat ze hem nu op de grond neerleggen. Nee, ik heb er geen behoefte aan om te gaan kijken. Gert staat helemaal vooraan en volgt alles. Het lijkt wel of hij helemaal niet bang is, het liefste had hij volgens mij willen helpen met het naar buiten halen van die jongelui. Wil je graag dat ik naar voren ga om het precies te zien?'

……

'Ja, ik hoor het later wel van Gert hoe ze er precies uitzien en of ze nog leven en zo. Ik ben blij dat jij er ook zo over denkt. Ik geloof dat ik zou moeten overgeven als ik alles zou zien, ik voelde net mijn maag al in opstand komen. Ik snap niet dat ik dit nu ineens tegen jou zeg.'

……

'Nu gaan er weer een paar mensen in de auto en ze zullen er wel weer iemand uithalen. Ik zie dat de mensen ineens achteruit gaan. Ik weet ook niet waarom ze dat doen, misschien zijn ze allemaal geschrokken van wat ze nu te zien krijgen of misschien moet de volgende wel naast de eerste liggen. Mijn hand begint te trillen, ik pak de telefoon even over met de andere hand. Die trilt ook, merk ik. Ik zal aan Gert vragen of we zo snel mogelijk gaan als de derde uit de auto gehaald is. Het helpt toch niets om nog langer te blijven. Zeg Annelies, ik zie steeds die eerste beelden weer voor mijn ogen, van dat meisje met haar lijkbleke gezicht en van die jongen met dat bloed over zijn wangen en in zijn hals.'

……

'Nee, het gaat wel, ik sta nu tegen een paal of een boom aan en dat helpt wel een beetje. Ze zijn nu bezig om de derde eruit te halen, het gaat iets vlugger dan met de tweede, maar ik weet niet of dat gunstig is of juist niet. Joh, ik voel me helemaal trillen, ook vanbinnen.'

......

'Ik ga nu naar voren om te kijken. O, ze hebben een doek over de lichamen gelegd, ze willen niet dat de mensen die zien natuurlijk. Ik sta nu naast Gert, ik denk dat we gauw terug zullen gaan, dan ga ik nu maar stoppen. Ik denk dat we over een kwartier thuis zullen zijn. Doeg.'

Wim doet zijn mobiel in zijn zak en stoot Gert aan om hem te vragen hoe het is. Gert draait zich om en een ogenblik leest Wim de ontzetting in diens ogen, maar dan is het weg en is er dezelfde harde glans van altijd.
'Waar ben jij geweest?' vraagt Gert.
'Ik heb even met Annelies gebeld. Weet jij hoe het er hier mee staat?'
'Alledrie morsdood, we kunnen wel naar huis gaan, want hier is niets meer aan te doen. Het is niet erg dat je niet gekeken hebt, want je wordt er niet vrolijk van. Kom joh, we gaan naar huis.'
'Wie zijn het?'
'Joop van Essen, Henk Bruil en Marja de Ruiter.'
'Echt?'

De schrik en angst dringen ineens in al hun angstaanjagendheid en felle pijn door Wim heen. Marja en Henk dood! Hij heeft Marja vanavond nog gezien, toen was ze vrolijk en nu...

Henk heeft hij vorige week na kerktijd gesproken. Hij kon wel eens onbenullig doen en op zaterdagavond veel bier naar binnen slaan, maar hij kon ook heel serieuze opmerkingen maken na kerktijd. Het is toch niet te geloven dat hij Henk niet meer op het kerkplein zal zien staan naast de anderen.

'Ik dacht eerst dat Marja het gewonde meisje was.'

'De anderen zeiden dat zij dood is, al moet het natuurlijk nog allemaal officieel uitgezocht en geïdentificeerd worden. Laten we maar naar huis gaan, want hier is niet veel meer te beleven.'

'Vader en moeder weten ervan dat we later komen.'

'Mij best, als ze er wat van zeggen dat we zo laat zijn, zal ik hun vragen zelf even te gaan kijken. Kom!'

Achterop de scooter, op de terugweg naar huis, hoort Wim de geluiden van de sirenes nog in zijn oren en ziet hij die twee gezichten steeds weer in gedachten voor zich, het lijkbleke van het meisje en dat met bloed van de jongen. De gezichten lopen in elkaar over en hij kan niet meer zien welk gezicht van wie is. Vervolgens wordt er een lichaam uit de auto gehaald en op het gras neergelegd, dood, de kleur van het gezicht is lijkbleek, maar er zit een bloedvlek in de hals.

'Gij dwaas, in deze nacht zal men uw ziel van u afeisen,' hoort hij ineens. Is er iemand in de buurt? Nee, er is niemand te zien, hij zit gewoon achterop de scooter in het donker van de nacht en ze rijden naar huis. En toch was die stem er, hij heeft hem duidelijk gehoord. Was het God of de duivel die het zei? Wim voelt zich weer trillen vanbinnen.

Hij kan de woorden van daarnet niet wegkrijgen. Op de eentonige cadans van het geluid van de scootermotor hoort hij steeds dezelfde woorden, eerst de hele zin, later alleen de eerste twee woorden: 'Gij dwaas', telkens opnieuw.

Eeuwigheid, wat is dat? Betekent het dat God aan de hemelpoort staat en dat Hij sommigen naar de hemel stuurt, die worden meegenomen door engelen, en anderen naar de hel, meegevoerd door duivelen? Waarheen zouden zij gaan? Het zweet breekt Wim uit; hij voelt het op zijn rug en in zijn oksels, ondanks de kou van de avond.

Wim is blij als ze thuis zijn, hoewel hij tegen de ontmoeting met zijn ouders opziet. Hij verwacht een preek van zijn moeder en een bestraffing van zijn vader. Zij zal wel beginnen te praten over de eeuwigheid en het leven dat zo kort is en dat ze zich moeten bekeren. Misschien zal ze wel bijbelteksten noemen. Zijn vader zal zeggen dat ze op zaterdagavond niet meer zo laat mogen thuiskomen of misschien zal hij hen wel verbieden om in het vervolg op zaterdagavond weg te gaan. Gert kennende zal er een enorme scène ontstaan, want die laat zich niets gezeggen. Met loden voeten stapt hij van de scooter.

De buitenlamp gaat aan en hij ziet een moment in de ogen van Gert, die juist achterom kijkt. 'Loop jij maar voor me uit broertje,' zegt hij, 'want jij kunt in zulke gevallen beter het woord doen dan ik. Ik mocht eens iets verkeerds gaan zeggen...' Hoewel Wim niet graag voorop loopt, is hij toch blij met de woorden van Gert, want die maken hem duidelijk dat zijn broer geen zin heeft in een scène.

Annelies doet de deur open en zegt: 'Kom maar gauw binnen jongens, we zijn allemaal blij dat jullie er zijn.' Daarna legt ze een hand op de arm van Wim en haar andere op die van Gert.

Wim denkt na over Annelies' woorden als hij zijn jas aan de kapstok hangt en zijn helm op de plank legt. Zouden zijn ouders echt blij zijn dat ze er zijn of zou Annelies het zeggen om het voor hen makkelijker te maken? Bij het openen van de kamerdeur voelt hij zich gespannen. Op dat ogenblik ziet hij zijn moeder die al uit haar stoel overeind gekomen is en naar hem toeloopt. Ze slaat haar armen om hem heen en zegt: 'Jongen, wat ben ik blij dat je thuis bent.' Wim moet enige moeite doen om zich te beheersen. Daarna loopt ze door naar Gert. Het valt Wim op dat Gert niet protesteert en zich de omhelzing laat welgevallen. Wim groet zijn vader net als altijd door 'hoi' te zeggen. Wat een meevaller!

Ze zitten nog maar nauwelijks of Annelies komt al binnen met voor elk een glas sinaasappelsap. Wim heeft geen behoefte om te praten, zijn keel lijkt wel dicht te zitten, maar hij merkt dat de anderen wachten op zijn woorden. Als hij een paar slokjes gedronken heeft, begint zijn moeder: 'We hoorden het geluid van de sirene en we vroegen ons af wat er gebeurd zou zijn. Ik was zo bang dat jullie een ongeluk gekregen hadden en dan zou...' Ze stopt even, omdat haar stem onvast wordt door de emoties, die de overhand dreigen te krijgen, maar dan heeft ze zich weer in de hand en zegt ze: 'Sterven is God ontmoeten en... wie zijn het?' voegt ze er, onlogisch, aan toe.

'Joop van Essen, Henk Bruil en Marja de Ruiter.'

Het is even stil, niemand zegt wat, allen laten het vreselijke bericht tot zich doordringen, moeder met een hand voor haar mond geslagen.

'De anderen ken ik niet, maar Henk heb ik vorige zondag nog met de anderen op het kerkplein zien staan, het is eeuwigheid voor hem en natuurlijk ook voor die andere twee. Kennen jullie de anderen?'

'Marja zat op onze school,' zegt Wim toonloos, 'ik heb haar gisteren nog zien lachen.'

'Dan zie je hoe ernstig het leven is, de ene dag lacht zo'n meisje en een dag later is ze in de eeuwigheid.'

'Wie was Joop?' vraagt Annelies.

'Ik ken hem niet goed,' zegt Wim, 'hij komt uit een kerkelijk gezin, maar hij gaat eh... ging zelf niet meer naar de kerk en ze zeggen dat hij heel onverschillig was, maar ik weet het niet goed hoor.'

Opnieuw blijft het een poosje stil. Wim neemt een slokje sap en dan ziet hij de beelden weer voor zich: de om de boom heen gekrulde auto en die twee gezichten van de jongelui. Hij denkt aan Gert, die zoveel meer gezien heeft dan hij en die het heel moeilijk had, wat hij merkte toen hij van de scooter afstapte.

Annelies zegt: 'We willen allemaal wel graag weten hoe het precies gegaan is.'

Wim kijkt een ogenblik naar Gert, die hem duidelijk maakt dat hij het verhaal moet vertellen. Wim begint: 'We waren op weg naar huis, toen we ineens het geluid van een ambulance hoorden, net zoals jullie, of nee, we hadden eerst al een enorme knal gehoord. Toen we in de gaten kregen dat het ongeluk vlakbij ons gebeurd was, besloten we te gaan kijken. Toen we er aankwamen waren er al mensen bij en waren er twee lichamen uit de auto gehaald, achteraf bleken het gewonden te zijn. De gewonden moeten Gerda van Hal en Pieter Dijk geweest zijn. De andere drie konden niet uit de auto gehaald worden, daar moest de brandweer aan te pas komen. Ik heb de lichamen eerlijk gezegd niet gezien, dus ik weet niet precies hoe ze eruitzagen. Gert heeft het wel gezien.'

Wim houdt stil en alle blikken richten zich op Gert, die eerst niets zegt, maar als hij merkt dat ze van hem verwachten dat hij wat zal zeggen, zegt hij langzaam en nadrukkelijk: 'Ja, ik heb het gezien. Waarom wil je dat weten?'

'Wat heb je gezien?' vraagt zijn vader kortaf. Wim vraagt zich af waarom zijn vader zo praat.

'Ik heb gezien hoe de lichamen uit de auto kwamen. Ik denk dat ik beter niet meer kan vertellen.'

'Was het zo erg?' vraagt moeder met ontzetting in haar stem.

'Nogal. Heb jij wel eens een gezicht gezien met een grote deuk? Wil je nog meer weten?'

Gert kijkt de kring rond met een gezicht waarvan Wim schrikt. Toen hij van de scooter afstapte was het heel anders, nu straalt hij woede uit, zo lijkt het wel. Maar waarom is hij dan toch boos? Moeder maakt een afwerend gebaar met haar hand, wat betekent dat hij beter kan stoppen, Annelies laat ook merken dat ze niet meer hoeft te horen en vader kijkt zonder iets te zeggen voor zich uit.

Dan richt die zijn blik op Gert en vraagt: 'Ze reden zeker veel te hard om toch maar op tijd thuis te kunnen komen?'

Dat had hij beter niet kunnen vragen. Wim ziet dat hij niet de enige is die zo denkt, want Annelies kijkt met een boze blik naar hem, maar het kwaad is geschied.

'Ja hoor,' zegt Gert, en Wim schrikt van de klank van zijn

stem, 'ze reden alsof hun leven ervan afhing en dat was ook zo. Ze moesten op zondag thuis zijn van hun ouders, ha, ha, en daarom reden ze zo hard. Als hun ouders niets gezegd hadden, waren ze er nu nog, dan zaten ze nog in het café, lekker een biertje te drinken, ha, ha,'

Wim kijkt naar zijn vader, hij ziet diens ogen flikkeren en hij ziet de harde streep van zijn lippen en hij weet dat het conflict, waarvoor hij vreesde en dat niemand wilde, toch gekomen is.

Vaders stem klinkt ogenschijnlijk rustig als hij zegt: 'Gert, ik wil niet dat je zo praat. We hebben het hier over ernstige zaken. Die jongelui zijn verongelukt en dat is vreselijk, maar ze hadden toch eerder kunnen vertrekken om voor de zondag thuis te kunnen zijn? Hun ouders hadden toch het recht om van hen te eisen dat ze op tijd thuis waren?'

'Wilt... wilt u zeggen, dat het hun eigen schuld is?' roept Gert met harde stem, terwijl hij met zijn gezicht naar voren komt en zijn vader recht in de ogen kijkt.

'Man, zeg toch niks,' maant moeder, maar vader legt haar met een handgebaar het zwijgen op.

'Ik zeg alleen maar dat de ouders het recht hadden om te zeggen dat ze op tijd thuis moesten zijn en dat die jongelui vroeger weg hadden moeten gaan.'

'Waar praat je nu over? Het gaat er niet om wie de schuld heeft, ik zou zeggen, ga daar maar eens bij de boom kijken, misschien liggen ze er nog wel.'

'Gert, zo moet je niet tegen je vader praten,' zegt Annelies sussend, 'en pa, als u daar nu niet over begint...'

'Wie gaat er dan ook zeggen dat ze te hard gereden hebben?' zegt Gert.

'Het kan toch, je kunt toch gewoon je mening zeggen,' probeert vader, 'je hoort van een ongeluk en je vindt het erg en je probeert te weten te komen hoe het gegaan is.'

'Wim vertelde toch hoe het gegaan is!'

'Jawel, maar hij vertelde niets van de oorzaak en ik moet

jullie toch waarschuwen om niet meer naar het café te gaan en om in ieder geval niet meer zo laat thuis te komen. Ik voel me voor jullie verantwoordelijk!'

'Ach man!'

'Gert gedraag je!' zegt moeder.

'Fatsoen is maar alles.'

'Ja, je mag gerust iets meer fatsoen hebben,' zegt vader.

'Ik heb jouw mening niet nodig, die weet ik al lang, het gaat allemaal om fatsoen' zegt Gert, waarna hij eraan toevoegt: 'Ik heb genoeg van dat fatsoen van jullie, ik hoop dat je dat goed beseft en me niet meer lastig valt met jullie mening.' Hij staat op met opeengeklemde kaken, loopt naar de deur zonder een woord te zeggen, rukt die open en gaat met harde stappen de trap op, de anderen verbouwereerd achterlatend. Even later horen ze keiharde muziek op zijn kamer dreunen.

Wim geeft Gert groot gelijk, al zal hij dat niet hardop zeggen. Wie gaat nu op zo'n moment vertellen dat ze te hard reden? Dat doe je toch niet? Het liefst was hij achter Gert aan gegaan, maar hij doet het niet, omdat hij nu geen partij wil kiezen en ook omdat hij bang is dat dan het spook in alle hevigheid op hem zal afkomen. Nu hoort hij de woorden maar heel zachtjes: 'Gij dwaas...' Misschien kan hij die gedachten kwijtraken door te doen als Gert, maar hij gelooft dat hij de steun van zijn ouders en Annelies de komende tijd nodig heeft. Als hij nu naar boven gaat, is het gesprek over het ongeluk afgelopen en komt het ook niet meer terug.

'Gert kan niet anders dan kwaad worden,' stelt zijn vader vast.

'Pa, u zei niet de slimste dingen,' brengt Annelies ertegenin.

'Ik vind het vreselijk dat jullie ruziemaken, terwijl er zo iets ergs gebeurd is,' brengt moeder naar voren.

'Moet jij het voor je broer opnemen?' vraagt vader verongelijkt aan Annelies, 'ik heb alleen maar een vraag gesteld, want je wilt toch weten hoe het gekomen is? Uit de reactie van Gert begreep ik dat ik gelijk had, anders was hij niet zo boos geworden. Het lijkt tegenwoordig wel of de ouders helemaal niets meer kunnen zeggen, kinderen worden direct boos en ze...'

'Pa, u zei de dingen niet op het goede moment, het leek net alsof u vond dat het hun eigen schuld was dat ze tegen die boom gereden waren, omdat ze te hard reden en omdat ze niet goed naar hun ouders luisterden die wilden dat ze op tijd thuis zouden zijn.'

'Dat heb ik niet gezegd en nog minder bedoeld, ik wilde alleen maar weten hoe het gekomen was.'

'Dan zei u dat toch wel op een vreemde manier.'

'Laten we er maar over ophouden,' zegt moeder, 'wat gebeurd is, valt toch niet meer terug te draaien, van het ongeluk niet en van Gert niet.'

'Morgen is hij wel bedaard,' meent vader.

'Ik weet het niet,' antwoordt moeder, 'hij is de laatste tijd vaak zo recalcitrant en ik werd net bang van zijn ogen... We hadden het erover wie er gestorven zijn, het is eeuwigheid voor hen geworden.'

'Voor wie de Heere Jezus niet kent, is dat verschrikkelijk,' zegt Annelies, 'maar laten wij er asjeblieft niet over gaan oordelen of ze te hard gereden hebben en of ze de Heere Jezus niet kenden, want het gaat om heel persoonlijke dingen. Het is voor iedereen nodig om bekeerd te worden.'

Wim kijkt dankbaar naar Annelies, die de vrede in huis hersteld heeft en hem tegelijkertijd vanbinnen geraakt heeft. Vader en moeder hebben dat niet gedaan met hun opmerkingen. Hij vond het gepraat van zijn vader verwijtend klinken, ook al ontkent die dat en van wat zijn moeder zei word je bang, maar je kunt er niets mee. De eeuwigheid is groot en dreigend, zwart en donker en hij slokt je op. Aan de eeuwigheid komt nooit een eind. Wat Annelies zei, klonk op de een of andere manier geruststellend. Zij is zelf altijd met die dingen bezig, dat is zijn moeder ook wel, maar die is altijd zo bang. Als je haar hoort praten, denk je dat God een boeman is Die er plezier in heeft om zoveel mogelijk mensen naar de hel te sturen. Bij Annelies merk je dat ze bewogen is over anderen. Toch kan hij zich ook de reactie van Gert wel voorstellen, die met dit hele gedoe in huis niets meer te maken wil hebben. Altijd hangt hier een zekere dreiging van dood en eeuwigheid.

Ineens ziet hij Annelies en zijn vader en moeder weer zitten. Het lijkt wel alsof hij er net even niet bij was.

'Wil je chips of sap?' vraagt Annelies, terwijl ze hem bezorgd aankijkt. Het doet Wim goed dat zijn moeder en zelfs zijn vader ongerust naar hem kijken. Ze kunnen best eens verkeerd doen, maar hij heeft toch lieve ouders, die op hun manier het beste met hem voorhebben.

3

Zoals altijd staan ze de volgende morgen na kerktijd in een kring bij elkaar, maar het is deze keer heel vreemd nu Henk er niet bij is. De meesten van hen kijken naar de grond of ze draaien een beetje met hun voet, omdat ze onder de indruk zijn van de dienst. De dominee heeft het gebeurde van vannacht zowel in het gebed als tijdens de preek aangehaald en hij heeft de gemeente gevraagd rondom Henks familie te gaan staan. Je kon toen een speld horen vallen, iedereen was onder de indruk. Wim voelt zich ook ongemakkelijk, omdat Gert er niet bij staat. Hij was vanmorgen wel naar de kerk gegaan, wat hem eerlijk gezegd meeviel. Gisteravond dacht hij dat Gert niet van plan was om te gaan en dat dacht hij vanmorgen nog, omdat Gert niet wilde meerijden met de auto, ook niet toen Annelies expres voor hem met haar eigen auto ging. Hij bleef thuis toen zij gingen, ook al drong zijn moeder nog zo aan en al maakte Annelies een paar opmerkingen. Het was Wim opgevallen dat zijn vader zich niet met de discussie bemoeid had, misschien voelde hij iets van Gerts verzetshouding of misschien had zijn moeder het er met hem over gehad.

Een paar minuten voordat de kerkdienst begon, hoorde hij ineens het geluid van een scooter en hij wist dat Gert toch gekomen was. Een minuut later plofte hij naast hem in de bank. De dominee had het in zijn preek over het gebeurde gehad, wat langs Gert heen leek te gaan. Een groot gedeelte van de preek lag hij namelijk met zijn hoofd op zijn armen op de kerkbank en deed alsof hij sliep. Zelfs een snoepje pakte hij niet aan. Toen de kerk uitging, had hij geen enkel contact met Gert, die meteen wegreed op zijn scooter. Zou hij naar de stad zijn? vroeg Wim zich af, terwijl hij constateert dat het leger begint te worden op het plein voor de kerk.

Terloops kijkt hij naar de plaats waar Henk doorgaans

stond en die nu leeg is. Zo lijkt het net alsof Henk er nog bij hoort en of hij er zo meteen aankomt. Wim kan het zich niet goed voorstellen, dat Henk hier nooit meer zal staan. Ineens vliegt het hem weer aan en voelt hij de tranen naar zijn ogen dringen. Hij beheerst zich en is blij als hij zijn zus Annelies ziet aankomen, die bij hen komt staan, wat ze bijna nooit doet. Ze zwijgt, evenals de anderen.

Pas als iemand zegt: 'Ik denk dat ik maar eens naar huis ga,' begint er iemand anders te praten. 'Zullen we dinsdag met z'n allen gaan condoleren?'

Iedereen kijkt de kring rond en Wim ziet aan de knikbewegingen dat de anderen het een goed idee vinden. Hij ziet er nu al tegenop om te gaan. Hij weet niet wat hij dan moet zeggen en hij moet er niet aan denken dat hij de kist zal zien. Wim voelt dat zijn keel dik is en slikt een keer. Gelukkig wordt er nu wat gesproken, zodat hij afleiding heeft.

'Je kunt erop rekenen dat er veel mensen komen.'

'Dat denk ik ook.'

'Het is van zeven tot negen uur. Zullen we om acht uur hier afspreken?'

'Ik vind het heel vreemd dat we het over Henk hebben, ik heb het idee dat hij er elk ogenblik bij kan komen staan.'

'Ik stond net te denken, dat Henk er met het condoleren ook wel bij zal zijn, het is eigenlijk een gekke gedachte.'

'Ik vind het veel gekker om te denken dat we Henk nooit meer zullen zien.'

'Voor Henk is het eeuwigheid, wij kunnen ons nog bekeren,' zegt Annelies.

'Wil jij zeggen, dat...'

'Ik wil niets zeggen, ik zeg alleen maar dat wij ons nog kunnen bekeren, dat hebben we toch in de kerk gehoord?'

'Bedoel je daarmee iets in de richting van Henk?'

'Natuurlijk niet, hoe zou ik dat durven? Ik weet toch niet hoe hij tegenover God stond? Henk wordt door God geoordeeld en wij moeten daarvan afblijven.'

'Ja, maar ik hoorde al ouderen tegen elkaar zeggen dat het zijn eigen schuld was, omdat hij op zaterdagavond naar cafés en disco's ging. Ze doen net alsof iemand die op zaterdagavond naar het café gaat, verloren gaat. Ze kunnen beter naar zichzelf kijken, want zij hebben het altijd over hun boerderij of over hun auto.'

'Laten we elkaar niet de maat nemen. Wel vind ik dat jongeren op zaterdagavond niet in het café horen.'

'Ja, jij gaat naar je vriend, maar als je geen vriend hebt?'

'Toen ik geen vriend had, ging ik ook niet nar het café.'

'Jij staat in een boekwinkel en jou scheelt het niets om alleen te zijn, want dan ga je gewoon lezen, maar wij willen gewoon lekker ontspannen na een week hard werken of leren en contact hebben met elkaar.'

'Ik denk dat het niet goed past bij het christenzijn,' zegt Annelies.

'Ik voel er niets voor om 's zaterdagsavonds thuis te blijven, mag ik een keer weg? Als ik naar het café ga, vinden mijn ouders het niet goed, ga ik naar de bios, dan zijn ze ook niet blij, Gerald Troost of Ralph van Manen keuren ze ook af en de reformatorische jongerenavonden vinden ze maar matig. Dus wat blijft er over?'

'Ik denk dat het goed is om op de jeugdvereniging over zulke onderwerpen te praten,' zegt Annelies, 'maar daar willen jullie zeker niet heen?'

'Dat hoor je mij niet zeggen. Als het er maar gezellig is.'

Annelies zegt dat ze het wel begrijpt.

De groep gaat uit elkaar. Wim heeft de hele tijd naar de gesprekken geluisterd en niets gezegd, omdat zijn keel dichtzat. Wim en Annelies blijven even naast elkaar staan. 'Ga je mee? vraagt Annelies, 'zeg, weet jij waar Gert is?'

'Nee, hij ging direct na de dienst weg, ik weet ook niet waar hij heen is.'

'Pa en moe zullen wel ongerust over hem zijn en dat kan ik me goed voorstellen; ik vond Gert gisteravond zo vreemd reageren, jij niet?'

'Tja, ik weet ook niet altijd precies wat ik aan hem heb.'
De twee lopen al pratend naar de auto van Annelies, waarna ze samen naar huis gaan.

Op de bewuste dinsdagavond is Wim vreselijk gespannen. Hij ziet er tegenop om opnieuw met het gebeurde geconfronteerd te worden en het liefst zou hij helemaal niet gaan, maar hij weet dat hij zichzelf dat later kwalijk zou nemen. En wat zouden de anderen er van zeggen?
Tot zijn verrassing zegt Gert dat hij ook gaat en dat Wim met hem kan meerijden. Hij heeft gisteren en eergisteren geen contact met hem gehad, evenmin als de anderen thuis. Meestal was Gert afwezig of op zijn kamer en tijdens het eten zei hij geen woord; als ze hem iets vroegen kon er alleen maar een grauw of een snauw af.
Het is laat als ze gaan en Wim vraagt zich af of ze op tijd zullen zijn. Tijdens de rit achterop de scooter komen de beelden van afgelopen zaterdagavond (of was het zondagmorgen?) Wim ineens weer voor de geest. Hij zit weer achterop en hij ziet het schijnsel van de blauwe lampen en het lijkt net alsof hij boven het eentonige geluid van de motor uit de sirene van de ziekenauto steeds maar hoort loeien. De film in zijn hoofd speelt vanzelf verder, eerst komen de beelden van de auto die om de boom heen gekruld is, dan de gezichten van die twee die op de grond liggen. Stop, hij moet zich op iets anders concentreren. Hij denkt aan wat er deze week op school gebeurd is, waar verdriet heerste, omdat Marja verongelukt was.
Tijdens de weekopening maandagmorgen kwamen geen leerlingen van een bepaalde klas met hun mentor aan het woord, maar sprak de rector zelf. Het was muisstil toen hij vertelde wat er gebeurd was en hoe het gegaan was, zonder daarbij in details te treden. Het viel Wim op dat hij geen oordeel uitsprak over het gebeurde en dat was maar gelukkig ook, want het oordeel komt alleen aan God toe. Tijdens het zingen van een vers bleek dat iedereen onder de indruk

was; je kon het horen aan de stemmen.

De maandag was in een sombere sfeer verlopen en hij was blij toen de school uitging. Toen hij naar huis ging dacht hij er een ogenblik aan om langs de plaats van het ongeluk te fietsen, omdat dat maar een klein stukje om was. Maar hij deed het niet, omdat hij er geen behoefte aan had om te zien hoe de boom vernield was of dat er misschien bloemen op de plek van het ongeluk lagen.

Thuis was er ook niets aan geweest. Zijn moeder was nog heel sterk onder de indruk van het gebeurde en wilde er een paar keer met hem over beginnen, maar hij was er niet op ingegaan. Hij had geen zin in een gesprek over de Bijbel en de dood. Zijn vader zei niet veel, die was meer in zichzelf gekeerd dan ooit. Het had natuurlijk met Gert te maken. Zijn vader en moeder moeten niet aan zijn broer komen. Hij lijkt wel eens onverschillig, maar dat is hij niet echt, want onder zijn boosheid en onverschilligheid zit een gevoelig hart. Annelies leest deze dagen meer in haar Bijbeltje dan gewoonlijk of ze heeft een cd met psalmgezang op staan.

Ineens komen de enge beelden van zaterdagavond weer in zijn gedachten. Het gaat gewoon vanzelf! Hij kijkt expres naar de dingen om hem heen. Ze naderen de stad, ze rijden hard, zoals altijd, maar waarom gaat Gert ineens zachter rijden? Wacht eens, hij ziet het al, voor hen lichten de letters 'Stop Politie' op. Wim merkt dat het lichaam van zijn broer voor hem ineens verstrakt, net voordat hij op de rem trapt. Gert doet geen poging om te ontkomen, hij weet natuurlijk dat de agenten toch wel te pakken zullen krijgen. Wim doet zijn helm af en ziet dat Gert hetzelfde gedaan heeft. Met de helm in de hand wachten ze op de dingen die komen gaan en die laten niet lang op zich wachten. Twee portieren klappen bijna gelijktijdig open en dicht en twee agenten stappen uit de auto. De ene is een vrouw met een paardenstaart, de ander een man, die zo te zien de leiding heeft. Het is een machotype, ziet Wim aan zijn manier van lopen: brede borst, kin naar voren, ogen strak op hen gericht. Dat kan wat worden! Gert heeft het natuurlijk ook al gezien en die heeft toch al niet zoveel op met de politie...

'Zo mijne heren,' klinkt het hen tegen, 'die brommer van jullie loopt goed.'

'Het is geen brommer, het is een scooter,' zegt Gert direct.

Zonder op die opmerking in te gaan, vervolgt de agent: 'Ik denk dat je wel erg hard reed.'

'Dat weet ik niet, ik ben blij dat u het zo goed weet.'

'O, doet je kilometerteller het niet goed, dan zullen we daar eens naar moeten kijken.'

'Mijn kilometerteller is best.'

'Hoe hard dacht je zelf dat je reed?'

'Zo te horen weet u het beter dan ik, uw kilometerteller doet het denk ik heel goed.'

'Ja, dat doet hij zeker, maar je toon bevalt me niet. Als ik jou was zou ik er rekening mee houden dat je tegen een agent praat.'

'U mag me gerust met u aanspreken, dat doe ik u toch ook?'

Wim ziet aan het gezicht van Gert dat hij heel veel moeite doet om zich te beheersen, zijn lippen vormen een rechte strakke streep. De agent staat zich ook stevig op te winden, zijn gezicht ziet behoorlijk rood. De vrouwelijke agent staat er maar wat bij te kijken, misschien is ze dergelijke tafereeltjes wel gewend... Eigenlijk zou Wim wat moeten doen, zodat de ruzie niet escaleert, maar hij weet niets te bedenken en als hij wat wist, zou hij het niet durven zeggen, moet hij toegeven. Wat zou hij trouwens moeten doen? Gert laat zich de kaas nooit van zijn brood eten en hij zou in staat zijn ter plekke ruzie met hem te gaan maken. Ineens bedenkt Wim waarheen ze op weg zijn en hij schaamt zich. Het is toch te gek om hier zo te praten, terwijl Henk...

'Pas op je woorden en weet wat je zegt, je reed te hard en

daarvoor krijg je, standaardtarief, een boete van 45 euro. Daar zal je wel een poosje voor moeten werken.'

'U hebt er geen idee van hoeveel ik verdien met werken en ik ben ook niet van plan om u dat te vertellen.'

De politieagent grijnslacht en zegt: 'Dat hoeft ook niet, ahum.' Hij vervolgt: 'Ben je het er mee eens, dat je te hard gereden hebt?'

'U zegt het, dus het zal wel waar zijn. Ik twijfel niet aan uw eerlijkheid, maar ik wil nu graag gaan, want ik heb nog meer te doen.'

'Rustig maatje, als je niet oppast neem ik je scooter mee voor controle en dan wordt het moeilijk voor jou.'

Op dat moment kan Wim zich niet langer beheersen en hij zegt met uitschietende stem: 'Wij moeten vanavond gaan condoleren.'

De mannelijke agent zegt niets, hij kijkt een keer naar zijn collega, die zegt: 'Dan begrijp ik wel dat jullie niet zitten te wachten op een ontmoeting met de politie, maar ik hoop dat jullie er begrip voor hebben dat wij ons werk moeten doen. Niemand mag te hard rijden, of het nu om een auto gaat of om jongelui die per scooter op weg zijn naar een condoleantie, regels zijn regels. Er zijn zaterdagavond nog jongelui verongelukt, die...'

'U kunt me uw verhalen besparen, wij willen gaan,' zegt Gert.

'We vinden het heel vervelend voor jullie, maar....' Daarop wendt ze haar gezicht naar haar collega en stelt hem fluisterend een vraag.

'Ja, het is vervelend,' zegt de ander zonder met zijn ogen te knipperen, 'maar regels zijn regels. Wij zullen het als bewijs van onze goede wil niet meer hebben over de tegen ons gebezigde woorden. Die zullen we dan maar op het conto van het moeilijke van de situatie schrijven.'

'U hoeft geen rekening met mij te houden,' zegt Gert, 'want dat doe ik ook niet met u en geef nou die bekeuring maar hier, dan kunnen wij verder!'

Hij pakt het papier uit handen van de politieagent en draait zich dan zonder te groeten om. 'Kom mee Wim,' zegt hij, op zijn gewone toon. Als Wim zich omdraait, ziet hij dat de agenten een blik met elkaar wisselen voordat ze naar de auto toelopen. Intussen zetten Wim en Gert hun helm weer op en als dat gebeurd is, rijdt Gert direct weg zonder zich om de politiewagen te bekommeren die er nog staat. Wim vraagt zich als ze verder rijden af of hij er goed aan gedaan heeft om wat te zeggen over het condoleren, maar dat kom je bij Gert toch niet te weten.

Het oponthoud betekent wel dat de anderen niet meer op hen wachten en ergens verderop in de rij staan. Ze zijn nog lang niet de laatsten, want terwijl Gert de scooter neerzet, ziet Wim bij het licht van sterke buitenlampen hoe lang de rij is: een tientallen meters lange rij mensen staat te wachten, tot ver buiten het gebouw. Er staan ouderen bij, maar vooral jongeren, zowel uit de kerk als van het café, te oordelen naar hun kleren tenminste. Vergeleken bij de velen in het zwart steken de stadslui wel apart af, maar Wim is toch blij dat ze gekomen zijn. Zijn hart wordt warm als hij ziet hoeveel belangstelling er is. Blijkbaar had Henk veel goede vrienden.

Het is stil in de rij, slechts af en toe wordt er door iemand gefluisterd of zachtjes gesproken en zo schuifelen ze langzaam verder. Ze zijn niet de laatsten, achter hen sluiten weer anderen aan. Wim kijkt naar de stenen onder zijn voeten, die in visgraatmotief gelegd zijn. Hij ziet een steen die qua vorm iets afwijkt, net zoals het leven van Henk nu afwijkt van dat van hen en net zoals... Hij voelt dat hij een brok in zijn keel krijgt en dat hij moeite heeft met slikken. Misschien komt dat ook wel, doordat ze nu de deur naderen en hij weet dat hij ertegen opziet om de ouders een hand te geven.

In de hal is gelegenheid om een handtekening te zetten, er liggen boeken met links de overlijdensadvertentie van

Henk, die hij in de krant al gezien had en rechts bladen met intekenlijsten. Gert, die voor hem liep, gaat iets opzij om hem door te laten en zegt: 'Teken ook maar voor mij.' Wim is inmiddels al aan die rare gewoonte van Gert gewend en kijkt er niet van op.

Als hij opkijkt na het tekenen ziet hij de diepbedroefde familie staan. Het lijden is van de gezichten van de ouders af te lezen, de moeder heeft zo te zien kortgeleden gehuild, haar ogen zijn nog vol tranen. De vader staart in de verte net alsof hij daar zijn zoon zal kunnen terugvinden. Wim merkt dat er niet veel meer gesproken wordt dan een enkel woord van deelneming. Gert die weer voor hem loopt, geeft eerst de vader van Henk een hand en zegt erbij 'gecondoleerd'. Wim doet hetzelfde, hij merkt dat het sneller en makkelijker gaat dan hij verwacht had. Dan pas merkt hij dat er na de vader en moeder nog vele anderen in de rij van de familie staan, voorop twee jongere zussen van een jaar of veertien, vijftien en dan nog een jongen van ongeveer zeven jaar. Hij voelt zich direct aangetrokken tot het ene meisje, dat er heel erg bedroefd uitziet. Als hij haar een hand geeft kijkt zij hem even aan met een blik die dwars door hem heengaat.Wat er aan de hand is begrijpt hij niet, maar als hij al een stuk verder is en andere familieleden een hand gegeven heeft, denkt hij nog aan haar en hij kijkt een keer naar haar, maar zij kijkt niet naar hem.

Een paar oudere mensen zitten aan tafel, maar de meeste lopen meteen door naar de ruimte waar Henk staat opgebaard. De kist is vanzelfsprekend gesloten, omdat zijn gezicht veel te ernstig beschadigd was. Het doet Wim wel iets dat hij bij de kist staat waarin Henk ligt, vooral als hij bedenkt dat hij vorige week nog naast hem op het kerkplein stond. Ineens gaat het door hem heen, dat hij daar ook wel had kunnen liggen, want hoe vaak hebben hij en Gert niet te hard gereden en hoe vaak zijn ze net op het nippertje aan een ongeluk ontsnapt?

Als hij het gebouw uitkomt heeft zich bij de andere beelden dat van de kist gevoegd. De ene keer ziet hij een gezicht voor zich en dan weer een kist. Weg, hij wil er niet meer aan denken, hij wil net zo flink zijn als Gert, die lak heeft aan iedereen en zich zelfstandig door het leven heenslaat.

4

Annelies loopt naar het huis van Peter. Het is een uur of negen op een donkere regenachtige herfstavond. Ze kent de plassen op de zandweg uit haar hoofd en het kan niet zo donker zijn of ze weet om de plassen heen te lopen. Er is geen straatverlichting, de bomen langs de weg zorgen ervoor dat het hier donkerder is dan in het open veld. Vroeger was ze wel eens bang als ze hier liep. Ze heeft hier zo vaak gelopen, zonder en met Peter. Ze hebben misschien een half jaar verkering, maar het lijkt veel langer. Wat zal hij opkijken als hij haar ineens binnen ziet komen! Zo vaak gebeurt dat niet, want ze zoekt hem niet vaak onverwacht op en de laatste tijd zeker niet, omdat hij zo druk is. Tegelijkertijd voelt ze iets van spanning in zich, omdat ze zich afvraagt of hij het wel echt leuk zal vinden. Vreemd, dat had ze vroeger niet, toen deed ze gewoon spontaan de dingen die in haar opkwamen, ook in de omgang met Peter. Waarom voelt ze zich nu geremd, er is toch niets aan de hand? Dan denkt ze aan de wandeling van pas en ze weet dat het daarna niet meer echt goed geweest is.

Annelies heeft Peters huis bereikt en gaat door de achterdeur naar binnen. In de kamer zitten de vader en moeder van Peter en zijn twee zussen. Hij zit de krant te lezen, zij luistert naar een cd met christelijke muziek en de twee meisjes zitten op de bank een boek te lezen.

'Hoi Annelies,' zegt Peters moeder, 'het gebeurt niet vaak dat je hier zomaar komt, er is toch niets bijzonders aan de hand?'

'Nee hoor, juist omdat ik het niet zo vaak doe, dacht ik hier eens aan te komen, ik had geen bijzondere dingen vanavond.'

'Heb je al koffie op?'

'Jazeker, doet u geen moeite.'
'Wil je wat anders drinken, zal ik Peter even roepen?'
'Doet u echt geen moeite, ik wil Peter verrassen, vindt u het goed dat ik even naar zijn kamer ga, dan komen we daarna wel naar beneden om wat te drinken.'
'Als hij meekomt naar beneden tenminste.'
'Hoe bedoelt u?'
'Hij is de laatste tijd zo druk, vaak breng ik hem koffie op zijn kamer en gaat hij de hele avond door. Soms zit hij tot na twaalven nog achter zijn computer, dat kan toch nooit goed zijn, Annelies?'
'Ik weet het,' zucht Annelies, 'hij is echt te druk, maar hij zegt dat hij er niets aan kan doen.'
'Zijn stemming lijdt er flink onder, want hij is om de minste of geringste kleinigheid uit zijn humeur. Doe maar aardig tegen hem.'
'Als hij mij ziet, verandert hij op stel en sprong, tegen mij doet hij niet kattig.'
'Ik hoop het...'
De moeder van Peter maakt de zin niet af, maar haar woorden zijn voor Annelies genoeg om op haar hoede te zijn. Intussen is er een stemmetje in haar dat zegt: 'Doet Peter nooit kattig tegen jou? En die keer dan toen jullie samen in de schapenstal waren? En heeft hij daarna nog wel echt aardig tegen jou gedaan?' Ze wil niet luisteren naar deze stem, ze wil hun verhouding niet laten bederven door negatieve krachten.
'Nou, je weet de weg, hang je jas maar aan de kapstok en loop maar naar boven, dan drinken jullie daarna samen iets beneden, ja?'
'Doen we.'
Als Annelies de deur van de kamer naar de hal sluit, krijgt ze plotseling een idee. Ze zal geluidloos de trap opgaan, zodat Peter haar niet hoort aankomen en als ze boven is, zal ze ineens de deur van zijn kamer openen. Ze weet zeker dat hij totaal verrast zal zijn en ze verheugt zich al op zijn reac-

tie. Zal hij uit zijn stoel opspringen en zijn armen naar haar uitstrekken of zal hij een kreet van blijdschap slaken? Wat een ouderwets woord trouwens, dat slaken.

Gelukkig heeft de trap bekleding, die het geluid van haar schoenen dempt. Halverwege luistert ze even of ze Peter hoort. Hoe ingespannen ze ook luistert, ze hoort niets, helemaal niets, geen muziek, geen gekuch, zelfs niet het verschuiven van een stoel. Hij zal er toch wel zijn?

Bij de deur luistert ze even met haar oor tegen het houtwerk voordat ze naar binnen gaat en dan hoort ze in eerste instantie ook niets. Juist op het moment dat ze besluit om door het sleutelgat te kijken, hoort ze Peter zachtjes kuchen en dan weet ze zeker dat hij er is. Haar hart begint een beetje sneller te kloppen. Dan denkt ze niet langer na en trekt ze met een ruk de deur open en kijkt naar Peter. Het eerste wat ze ziet is zijn gebogen rug, die het zicht op het beeldscherm van de computer gedeeltelijk wegneemt. En dan is er iets vreemds aan de hand! Peter, die totaal verrast achteromkijkt, kijkt niet blij, maar verschrikt, wat ze ziet aan zijn grote ogen. Hij komt ook niet direct naar haar toe, maar in plaats daarvan keert hij zich razendsnel om naar het beeldscherm, dat hij lijkt te willen afschermen door zijn schouders breed te maken. Het wekt Annelies' nieuwsgierigheid op, ze bukt zich en kijkt in een flits onder zijn rechterarm door. Hé, dat is gek, wat ziet ze daar nu? Schermt hij daarom het beeldscherm voor haar af? Is hij nu helemaal gek: hij heeft nota bene op zijn scherm een bijna blote jonge vrouw staan, die bezig is haar slipje uit te trekken. Ze ziet het maar een fractie van een seconde, want direct daarop verdwijnt het beeld van het scherm om plaats te maken voor een scherm met cijfers, maar het is genoeg. De schrik slaat haar om het hart.

Opnieuw keert Peter zijn gezicht naar haar toe, zijn ogen staan nog precies als daarnet, zijn neusgaten zijn opengesperd en zijn mond is vertrokken in een harde streep. Hij komt niet naar haar toe, maar zegt met een lage stem, op aanvallende toon: 'Wat kom je doen?'

'Ik kwam eens kijken hoe het met je ging,' zegt Annelies, die nog niet van de schrik bekomen is, zo gewoon mogelijk. Er is iets in haar dat haar vertelt dat ze op haar hoede moet zijn. De Peter van nu kent ze niet, misschien is het de Peter van de schapenstal, maar hij is toch ook weer anders.

'Waarom laat je me zo schrikken?'

'Ik wilde je verrassen.'

'Je verraste me niet, je liet me schrikken.'

'Joh, ik schrok van jou, wat had jij op je scherm staan?'

'O, niets bijzonders.'

'Wel waar, ik zag dat je iets wegklikte.'

'Nee, er was echt niets.'

'Peter, je bent oneerlijk tegen me, dat valt me heel erg van je tegen, ik heb wel gezien hoor wat je op je scherm had staan en dat viel me ook heel erg tegen, ik had dat niet gedacht. Laat ik het woord maar in een keer noemen. Ik had niet gedacht dat jij je met pornografie zou bezighouden, want dat was het!'

Het hoge woord is eruit. Annelies heeft de woorden er in een razend tempo uitgegooid, ze moest ze kwijt. Ze was werkelijk totaal verbouwereerd; het idee dat Peter naar zulke plaatjes op internet zou kijken was nooit bij haar opgekomen. Natuurlijk had ze er wel over gehoord en ze wist ook genoeg van de wereld om haar heen om te weten dat seks veel mensen in de greep heeft, maar Peter...

'Je mag me niet vals beschuldigen, ik was helemaal niet bezig met pornografische plaatjes.'

'Wat klikte je dan weg?'

'Ik klikte niets weg, ik ben met m'n werk bezig, dat zie je toch?'

'Ik ben niet gek, ik zag toch dat je iets wegklikte, ik keek onder je arm door en ik heb ook gezien wat je wegklikte, viezerik, je kunt zeggen wat je wilt.'

'Ik klikte niets weg en ik wil niet dat je me uitscheldt.'

'Oh nee, dan zal ik het bewijzen, want dat kan heel eenvoudig, laat mij daar eens even zitten, dan zoek ik op internet gewoon even bij 'geschiedenis', zodat ik kan zien wat je vandaag allemaal opgezocht hebt. Als je werkelijk niets verkeerds aangeklikt hebt dan kun je dat gerust toestaan.'

'Daar gaat het niet om, het gaat erom dat we elkaar moeten kunnen vertrouwen. Het zou een mooie boel worden als ik als volwassene gecontroleerd moet worden op wat ik doe, ik heb mijn eigen verantwoordelijkheid. Dacht je werkelijk dat ik zou gaan liegen? Heb je me ooit betrapt op leugens? Je zou me nu ineens niet meer geloven, terwijl we elkaar altijd vertrouwd hebben. Het valt me van je tegen dat je zo over me denkt, zo ga je toch niet met elkaar om?'

'Peter, het gaat er niet om dat ik alles van jou wil controleren, het gaat er alleen maar om of ik kan bewijzen dat je verkeerde dingen gezien hebt.'

'Dat kun je niet, want dat heb ik niet gedaan, dus waar hebben we het over?'

'Je hebt wel hartstochten en verkeerde begeerten of wil je dat ook ontkennen?'

'Nee, maar die heb jij zelf ook.'

'Dat is waar, ik ben niet anders en beter dan jij, maar wat ik erg vind is dat je blijft ontkennen, terwijl het zo duidelijk was als wat.'

'Annelies, geloof me, je hebt het je verbeeld, het is absoluut niet waar, bederf onze goede verhouding niet door zo'n verdachtmaking.'

'Waarom doe jij zo eigenwijs, laat me gewoon kijken, dan kun je je gelijk bewijzen!'

'Ik wil dat je me vertrouwt en ik wil niet dat je aan mijn computer komt.'

'Peter, ik vind je kinderachtig.'

'Jij komt niet achter mijn computer, zeker niet nu je begint te beledigen. Annelies, ik ben niet begonnen met de ruzie maar jij en dat valt me van jou tegen. Zo ga je toch niet met elkaar om? Je moet een ander niet verdenken van iets waarmee hij niets te maken heeft. Ik heb warempel meer recht om jou te beschuldigen dan jij mij, maar dat doe ik niet, want ik wil geen ruzie.'

'Zoek ik dan ruzie?'

'Jij komt zonder mijn toestemming op mijn kamer, je beschuldigt mij vals en je begint te schelden, dat vind ik nogal wat.'

Annelies heeft moeite haar zelfbeheersing te bewaren en ze probeert rust in haar stem te leggen als ze zegt: 'Peter, je weet zelf ook best dat je fout bent.'

'Annelies, ik waarschuw je, ik laat me niet beledigen, dit is mijn kamer en als je je woorden niet terugneemt, verdwijn je maar.'

'Kalm nou joh, ik heb je toch niets misdaan?'

'Jij begon met de ruzie, ik niet.'

Annelies geeft even geen antwoord, ze voelt zich verward en weet niet meer wat ze doen moet. Peter is een meester in het argumenteren, dat weet ze wel en ze kan niet tegen hem op, maar er moet toch een mogelijkheid zijn om dit onderwerp bespreekbaar te maken? Anders zal het altijd tussen hen in blijven staan. Er begint in haar iets te zeuren, een gevoel van teleurstelling. Ze twijfelt geen moment aan wat ze gezien heeft. Als Peter toegegeven had, hadden ze er samen over kunnen praten, want zij verschilt niet zo veel van Peter. Zij heeft ook ogenblikken dat ze beheerst wordt door een sterke hartstocht en dat ze het liefst met Peter verder zou willen gaan dan een heftige zoenpartij en verder nergens over denken, maar ze weet dat het verkeerd is, omdat het tegen de Bijbel is.

Peter heeft altijd overwicht op haar gehad en hij denkt nu misschien ook wel dat zij het erbij laat zitten, maar dan vergist hij zich toch. Vroeg of laat wordt hun toch de rekening gepresenteerd. Ze heeft genoeg over het verschijnsel seksverslaving gelezen om te weten hoe verkeerd hij bezig is. De onderste steen moet nu boven, want het staat hun relatie in de weg. Pornografie vernietigt het mooie dat er is in een verhouding en daarom laat ze het er ab-so-luut niet bij zitten, nooit! Op datzelfde ogenblik komt de herinnering aan het gebeurde in de schapenstal in haar herinnering. Misschien keek hij toen al naar pornografische plaatjes en misschien is hij al verslaafd!

Die gedachte jaagt haar schrik aan, maar geeft haar tegelijkertijd moed om door te gaan, omdat ze hem niet wil laten vallen. Hoe vaak doet ze zelf niet iets verkeerd en hoe vaak hoor je niet van jongeren dat ze pornografische plaatjes kijken op internet? Het is allemaal best te begrijpen, maar van Peter? Hij had toch gefilterd internet?

Al die gedachten flitsen door haar hoofd, terwijl ze naar Peter blijft kijken. Ze besluit een poging tot herstel te wagen door over een ander onderwerp te beginnen. Mogelijk is er straks een kans om hier weer op terug te komen.

Beneden gaat de kamerdeur open en dan hoort ze de moeder van Peter onderaan de trap roepen: 'Peter en Annelies, komen jullie wat drinken?'

'Ja,' roept ze hard, maar intussen slaat de schrik haar om het hart, omdat ze er niet aan moet denken dat de moeder van Peter boven zal komen. Nu moet er heel snel een oplossing gevonden worden!

'Peter,' zegt ze en ze legt zo veel vriendelijkheid in haar stem als maar mogelijk is, 'was je nog zo druk met werk?'

Hij reageert verrast op haar veranderde houding en zegt gretig: 'Annelies, je weet hoe druk ik de laatste tijd ben, ik moet zeker drie avonden in de week thuis overwerken en dan ben ik nog niet klaar, je mag blij zijn dat het in de boekwinkel rustiger is.'

'Neem je zoveel werk mee naar huis?'

'Letterlijk en figuurlijk ja, ik kan de laatste tijd moeilijk in slaap komen, omdat de cijfertjes door mijn hoofd blijven gaan. Het is ook zulk precies werk, als je maar een klein foutje maakt kan dat heel grote gevolgen hebben en als je je niet kunt concentreren word je minder nauwkeurig, daarom herhaal ik nogal eens een bewerking, met als gevolg dat het langer gaat duren. Er komt bij dat het met het bedrijf op dit moment niet zo goed gaat.'

'Waarom niet?'

'Er zijn een paar grote klanten failliet gegaan, verder zijn er nogal wat klanten die niet willen betalen en er loopt een rechtszaak wegens een vermeende onzorgvuldige controle. Dat is natuurlijk niet het geval, maar de zaak loopt wel. Mijn chef kan er niet zo goed meer tegen. Hij heeft zich het la... apenzuur gewerkt en hij reageert zijn stress af op het personeel. Dus de sfeer die er op dit moment heerst, is niet zo geweldig. Ik heb al een keer een botsing met hem gehad en ik zorg er wel voor dat dat niet meer gebeurt, want dat slokt al je energie op. Maar ja, laat ik niet mopperen, ik mag blij zijn, dat ik werk heb, er zijn tegenwoordig zoveel werklozen. En de drukke periode is ook te overzien, er komt een einde aan. Als je ziet hoeveel personeel ze in de bankwereld ontslaan om maar efficiënter te kunnen functioneren, daar is het problematischer dan bij ons.'

'Pas zei je ook al dat het beter werd, maar nu is het einde nog niet in zicht begrijp ik. Misschien moet je eens een tijdje vrij hebben om op verhaal te komen.'

'Dat kan niet, dat snap je toch wel!'

'Waarom nemen ze bij jullie op kantoor niet een paar anderen aan, omdat het zo druk is?'

'Het is seizoenswerk, als ze een paar nieuwelingen hebben aangenomen en het wordt weer rustig dan zitten ze met hen opgescheept en de zaak kan financieel niets hebben. Echt, Annelies, het wordt wel weer beter.'

'Maar jij bent er wel flink gestresst door. Kwam het door de spanning dat je die site eh...?'

'Wat bedoel je?' Peters stem klinkt weer net zo scherp als daarstraks en zijn ogen kijken haar vol dreiging aan. Annelies ziet de dreiging wel, maar ze realiseert zich ook dat de kans verkeken is om er ooit nog over te beginnen als ze nu niet doorzet. Ze zegt: 'Nou ja, rustig maar, ik kan het wel een beetje begrijpen, ik heb er genoeg over gelezen om te weten dat het bezoek, het eh... eh... met spanning te maken kan hebben.'

'Begin je daar weer over? Zie je wel dat jij ruzie zoekt! We hadden het net heel ergens anders over en jij zorgt er nu voor dat we weer ruzie krijgen door over hetzelfde te beginnen, ik vind het gewoon gemeen.'

'Ach man, ik wilde je helpen!'

'Helpen, helpen, maak dat de kat wijs! Het is jouw doel mij in de hoek te drijven, zodat ik niet meer vooruit of achteruit kan. Als je maar weet dat je me daar nooit krijgt, want ik heb niets verkeerds gedaan en als ik niets gedaan heb hoef ik ook niet te bekennen. Jij veroordeelt mij om iets wat ik niet gedaan heb.'

'Ik veroordeel je niet, ik zeg alleen wat ik gezien heb en je kunt je onschuld bewijzen door mij toegang te geven tot je computer.'

'Het is mijn computer en je blijft eraf met je fikken!'

'Nou, niet zo grof!'

'Ik ben niet grof, jij beschuldigt me en ik wil dat je je beschuldigingen terugneemt!'

'Ik beschuldig je niet en ik neem niets terug!' Annelies doet een stap naar voren en maakt zich zo lang mogelijk.

Peter komt overeind en gaat dreigend tegenover haar staan. Annelies wordt bang van zijn ogen en van zijn neusgaten die nog wijder opengesperd zijn dan daarstraks. Er is iets in haar dat haar waarschuwt dat er gevaar dreigt. Ze kijkt een keer achterom naar de deur.

'Ben je bang?' vraagt Peter met een vleiende stem.

'Ik ben niet bang en zeker niet voor jou!' zegt Annelies, terwijl ze haar kin vooruit steekt, de benen iets uit elkaar plaatst en met de handen in haar zij vlak voor hem gaat staan. Hij doet zijn handen eveneens in zijn zij en maakt zich zo groot dat ze naar hem moet opkijken.

'Verbeeld je maar niks jochie, ik ben echt niet bang voor jou!'

'Oh nee?' vraagt hij, 'dat zullen we dan nog eens zien.'

Ineens pakt hij haar vast bij haar ene pols.
'Laat me los!' zegt Annelies redelijk rustig.
'Zie je wel, dat je bang bent!' klinkt het hard.
'Peter en Annelies, de koffie wordt koud!' klinkt het van beneden.
'Ik ben niet bang, maar ik wil wel dat je van me af blijft!' bijt Annelies Peter toe, terwijl ze met een ruk haar hand naar zich toe probeert te halen.
'Je bent bang en het is je eigen schuld, dan moet je maar niet op mijn kamer komen en dan moet je me maar niet beschuldigen en dan moet je me...'
Dit zeggend slaat hij zijn andere arm om haar middel en trekt haar tegen zich aan. Ze voelt zijn hete adem in haar gezicht en probeert hem af te weren, maar het lukt haar niet. Hij duwt haar steeds steviger tegen zich aan en drukt zijn lippen op die van haar. Ze vindt het walgelijk en trekt haar hoofd met een ruk naar achteren. Het lukt niet wat ze wil en dan voelt ze ineens een wilde drift in zich omhoogkomen om die Peter, die...
Peter is sterker, ze voelt zijn beide handen om haar middel knellen. Ze worstelt om zich uit zijn greep te bevrijden, maar hij trekt haar ineens achterover op zijn bed, waardoor ze beiden vallen, zij half over hem heen. Zij voelt zijn trillende handen en zijn hijgende ademhaling tegen haar huid. Ze wil overeind komen en probeert zich weer los te rukken, maar hij pakt allebei haar handen stevig vast, zodat ze zich niet kan verweren. Dan maakt hij met een snelle beweging de bovenste knoop van haar roksluiting los.
Annelies raakt in paniek, ze had niet in de gaten dat dit zijn bedoeling was. 'Niet doen, Peter,' zegt ze, 'niet doen!'
Peter trekt zich niets van haar aan, trekt haar rok een stuk naar beneden en als hij haar blote bovenbenen ziet begint hij te hijgen.
Annelies merkt dat hij een ogenblik niet goed oplet, dat is haar kans en met al haar kracht rukt ze zich los uit zijn

handen en komt naast het bed te staan, terwijl ze met een hand haar rok omhooghoudt. Hij wil zich snel oprichten om haar weer vast te pakken. Ze kijkt achterom en ziet dat de slaapkamerdeur dicht is en ze beseft dat ze te laat zal zijn. De paniek vliegt haar weer aan, omdat ze weet dat hij sterker is dan zij. Zonder nadenken trapt ze van zich af, precies in zijn kruis. Peter kreunt, grijpt met twee handen naar zijn kruis en valt terug op het bed. Dat is haar kans!

Snel loopt ze naar de deur, rukt die open, gaat de slaapkamer uit en sluit de deur. Daarna blijft ze even bovenaan de trap staan om haar rok te fatsoeneren, de knoop dicht te doen en te luisteren of Peter haar achterna komt. Ze hoort hem nog niet komen, kennelijk heeft ze hem goed geraakt. Ineens voelt ze dat ze staat te trillen op haar benen, maar ze kan er niet aan toegeven. Het enige wat ze nu moet doen, is ervoor te zorgen dat ze hier wegkomt en dan nooit meer terug! Met grote stappen vliegt ze de trap af, met de ene hand de leuning vasthoudend. Bijna beneden bedenkt ze dat de moeder van Peter misschien de deur wel weer kan openen om hen te roepen voor te koffie.

Had ze het niet gedacht! Als ze bijna beneden is, gaat de deur open en verschijnt het hoofd van Peters moeder om de hoek. 'Is er wat Annelies?' vraagt ze bezorgd, 'ik hoorde net wat.'

Annelies kijkt haar als verstard aan en grist zonder iets te zeggen haar jas van de kapstok, draait zich om, loopt snel naar de voordeur, pakt het haakje beet en trekt eraan, maar de deur klemt een beetje, zodat ze niet direct weg kan. Ze hoort dat de moeder van Peter verder de gang in komt, raakt weer in paniek, geeft een keiharde ruk, zodat de deur openvliegt en vlucht naar buiten, de duisternis in. Zonder zich om het geroep van mevrouw Van Boven in de gang te bekommeren begint ze te rennen, te rennen... Ze is al een eind weg als ze Peters moeder buiten hoort roepen: 'Annelies, stop eens!'

Ze doet het niet, het zet haar juist aan om nog harder te

gaan rennen. Hijgend rent ze zo snel als ze kan het zandpad op naar haar huis, instinctief de plassen vermijdend. Dat lukt haar niet helemaal, want op een gegeven moment neemt ze een verkeerde stap en trapt ze met haar voet in een diepe plas, waarna ze struikelt en valt. Ze gunt zich geen tijd om te laten doordringen wat er precies gebeurd is, maar ze staat snel op en holt verder. Ineens krijgt ze het koud door een plotselinge windvlaag en staat ze even stil om haar jas aan te trekken, die ze nog steeds in haar linkerhand gekneld houdt. Als ze stilstaat hoort ze de wind rumoeren. Ze ziet een stukje van de maan achter voortijlende wolken tussen de heen en weer zwiepende takken van de bomen door. Gelukkig is de moeder van Peter haar niet verder gevolgd en ook Peter is niet naar buiten gekomen. Bij de oprijlaan naar haar huis wordt ze onzeker; ineens besluit ze om niet naar binnen te gaan. Ze wil niemand zien! Maar wat moet ze dan?

Ze zet het opnieuw op een draf, nu richting bos. Ineens stapt ze middenin een plas, zodat de druppels tegen haar benen spatten, waarop ze ineens stilstaat. Om haar heen ruisen de bomen. 'Waarom?' kreunt het ineens binnen in haar, zonder dat ze zelf wat zegt. Ze blijft staan en denkt aan wat er gebeurd is. Weer beleeft ze het moment, dat Peter haar vastpakte en weer voelt ze zijn hete adem in haar gezicht. Dan komt de paniek opnieuw opzetten en begint ze weer te hollen, weg wil ze, weg...

Bij een diepe plas struikelt ze weer en blijft ze door haar moeheid even liggen, maar ze komt overeind en wil verder rennen. Ineens heeft ze in de gaten dat ze in de richting van de schapenstal rent en dat wil ze juist niet. Wat moet ze dan? Besluiteloos blijft ze stilstaan, even kan ze helder nadenken en dan weet ze het: ze zal de auto pakken en een stuk gaan rijden, zodat ze niet in het enge bos hoeft te blijven en ver weg van hier is. Ze draait zich om en begint terug te hollen naar huis, wat moeite kost, omdat ze aan het einde van haar krachten begint te komen.

Als er nu maar niemand op het erf is, die merkt dat ze weg wil, ze wil met niemand contact. Gelukkig, het erf is leeg. Ze kijkt even door het raam naar binnen, waar haar vader en moeder in de kamer zitten en Wim, die zit te computeren. Gert zal wel weer weg zijn, die is tegenwoordig zo vaak buitenshuis, maar wat heeft zij ermee te maken? Je kunt beter met hem te doen hebben dan met Peter, Gert is tenminste eerlijk. Wat een geluk dat ze de autosleutels bij zich heeft.

Vlug loopt ze naar haar Opel Corsa, die in de ruimte van de hooitas staat die niet meer in gebruik is en doet de deur van slot, waarna ze instapt, achteruit rijdt en er snel vandoor gaat. In haar achteruitkijkspiegel ziet ze dat de deur niet opengaat. Gelukkig, niemand heeft gemerkt dat ze weg is. Ze gaat linksaf en haar hart knijpt samen als ze langs het huis van Peter komt, want stel je voor dat hij buiten staat te kijken of zij weer terugkomt! Warempel, hij staat er nog ook! Ze heeft het geweten! Peter is niet iemand die zich gewonnen geeft, ze weet zeker dat hij haar achterna zal komen. Opnieuw vliegt de paniek haar naar het hoofd. Zie je wel, hij heeft haar gezien en wenkt met driftige armgebaren dat ze moet stoppen. Nooit! Hij is in staat om pardoes voor de auto te springen en haar tot stoppen te dwingen. Ze geeft zoveel gas dat het zand onder de wielen van de auto wegspuit, zodat de dwaas het wel laten zal om ervoor te springen, wat ongeveer gelijk staat aan zelfmoord. Gelukkig, hij blijft aan de kant staan. Een moment ziet ze zijn vertrokken gezicht in het licht van haar koplampen, maar dan is het voorbij en geeft ze extra gas, want ze weet dat ze nog niet van hem af is. Snel overschakelen nu en zien dat ze weg is voor hij haar achterna komt. Waar moet ze heen?

Hij is een betere chauffeur dan zij, ze moet er niet aan denken dat hij haar op het spoor komt, haar inhaalt en haar afsnijdt zodat de auto moet stoppen in de berm. Ze weet dat hij tot alles in staat is, maar ze zal zich nooit overgeven, zo neemt ze zich grimmig voor. Wacht, ze weet iets, ze doet haar lichten uit en gaat de eerste de beste zijweg in, het is misschien wel een beetje gevaarlijk wat ze doet, maar alles liever dan dat Peter haar inhaalt. Met gedoofde lichten rijdt ze verder, rechtdoor, dan een zijweg links. Zal ze doorrijden tot aan de eerste de beste bocht of zal ze daar een inrit van een boerderij inrijden? Nee, dat kan ze niet doen, want als de bewoners naar haar toekomen, zou ze niet weten wat ze moet zeggen en als Peter juist op dat moment langskomt, is ze de klos. Ze zal de auto draaien en voorbij de bocht gaan staan, zodat, mocht Peter toch deze weg nemen, zij dan direct de andere kant op kan rijden. Als ze daar staat en ze de motor van de auto heeft uitgeschakeld, wordt het vreemd stil om haar heen, ze hoort alleen de klop van haar eigen hart en haar gejaagde ademhaling. Stel je voor dat hij haar toch weet te vinden! Die gedachte jaagt haar schrikt aan, ze ziet het moment dat hij haar pakte weer voor zich. Ze moet ervoor zorgen dat hij niet bij haar kan komen als hij haar zal vinden, daarom doet ze de auto van binnen op slot, zodat hij, als hij al bij haar auto komt, er niet in kan komen. Hij komt nooit bij haar in de auto! Nooit, nooit...

Daar komt hij! In de verte ziet ze het licht van een auto vanaf de zandweg komen, even verdwijnend omdat er een huis voor staat, dan weer te voorschijn komend. Nu gaat hij de zandweg af, dezelfde kant uit, waar zij heenging. Het hart klopt haar in de keel als hij langs de zijweg komt, waar zij staat, want nu komt het erop aan! Zal hij afslaan of doorrijden? 'Heere, help!' bidt ze. Peter rijdt door!

Even is ze gerustgesteld en blijft ze zitten, ze voelt dat ze nog hijgt en dat haar hart bonkt. Maar dan weet ze dat ze snel moet handelen, want hij kan terugkomen en deze zijweg doorzoeken. Als ze de auto start, heeft ze nog geen idee wat ze moet doen, maar alles is beter dan hier te blijven. Bij de grote weg gekomen, gaat ze de andere kant op dan Peter en ineens voelt ze zich opgelucht, want de kans dat ze hem deze avond nog zal ontmoeten lijkt haar klein. Terwijl ze rijdt, krijgt ze ineens een haast onbedwingbare lust om het gaspedaal diep in te trappen. Haar voet luistert naar haar verstand dat haar waarschuwt om dat niet te doen, omdat er hier in de weg nogal wat scherpe bochten zitten.

Ze heeft er geen flauw idee van hoeveel kilometer ze heeft gereden als ze de oprit van de snelweg nadert. Spontaan draait ze haar stuur naar rechts en gaat de snelweg op. Een gevoel van bevrijding bevangt haar als ze op de snelweg het gaspedaal intrapt. Ze heeft zin om het pedaal heel diep in te trappen en heel hard en heel ver te rijden en dat doet ze ook. De teller schiet voorbij de honderd, honderdtwintig, honderddertig, honderdveertig, heerlijk! Het lijkt alsof alle zorgen en alle spanning door deze rit van haar afglijden en het scheelt haar niets dat ze niet weet waarheen ze gaat en hoelang het gaat duren. Ze denkt nergens meer aan en suist over de donkere snelweg.

Hoeveel later is het, als ze ineens een bord ziet met daarop de woorden: Douane / Zoll? Het dringt tot haar door dat hier de grens van Nederland met Duitsland is. Ze is hier nog nooit geweest en wat moet ze zo meteen als ze haar aanhouden en naar haar paspoort vragen, dat ze natuurlijk niet bij zich heeft? Ineens bedenkt ze dat dat niet direct nodig is, omdat je tegenwoordig met die open grenzen zo Duitsland in kunt rijden. Toch voelt ze zich niet lekker en besluit ze zo snel mogelijk een parkeerplaats op te zoeken, want ze kan toch niet eindeloos doorrijden?

Het duurt niet lang voordat er een verlichte parkeerplaats bij een benzinestation is. De plek is een geruststelling voor haar, dan weet ze dat er mensen in de buurt zijn, als... Ze kijkt in haar achteruitkijkspiegel of hij er niet aan komt. Tegelijk bestraft ze zichzelf, het is toch absoluut onmogelijk dat Peter haar gevolgd is? Ze laat de auto uitrijden tot ze een mooi plekje gevonden heeft bij een lantaarnpaal. Dichterbij het benzinestation staan wat vrachtauto's en een enkele personenauto, maar hier is het rustig.

Als ze het contactsleuteltje omgedraaid heeft, vallen de stilte en de vermoeidheid als een blok op haar. Het heftige kloppen van haar hart is bedaard, ze hijgt ook niet meer van spanning, maar ze voelt ineens een oneindige vermoeidheid, die bij haar benen begint, in haar armen doorgaat en naar haar hoofd trekt. Ze kijkt om zich heen en beziet de parkeerplaats wat nauwkeuriger. Bij het benzinestation is het licht, maar op de parkeerplaats zelf is maar een enkel verlicht punt, verder is het om haar heen donker. Ineens dringt de gedachte zich aan haar op dat een vrachtwagenchauffeur haar hier in de auto ziet zitten en met verkeerde bedoelingen naar haar zal toekomen. Ze kijkt of de deuren wel afgesloten zijn en zoekt een vluchtweg voor het geval haar gedachten werkelijkheid zullen worden. In haar verbeelding ziet ze al een grijnzend en verlekkerd gezicht naast de auto opduiken. Tegelijkertijd voelt ze hoofdpijn opkomen. Wat moet ze als ze straks zo'n erge hoofdpijn heeft, dat ze niet meer terug kan rijden? Niet aan denken nu en ook niet aan haar voet die zo trilt dat ze die niet eens op het gaspedaal kan houden, want ze moet nu eerst de zaken voor zichzelf op een rijtje zetten.

Haar hoofd kan niet denken, maar ze dwingt zichzelf onbarmhartig om de toestand onder ogen te zien. Het is duidelijk dat de verkering met Peter uit is. Tegelijkertijd protesteert ze daartegen, want het kan niet! Ze hebben samen zoveel goeds meegemaakt en ze pasten zo goed bij elkaar! De beelden dringen zich aan haar op, zonder dat ze erom vraagt. Ze ziet hem in de boekwinkel, samen bogen ze zich over een goed dagboek, ze ziet hen samen bij de bezinningsbijeenkomsten en ze herinnert zich de vele fijne gesprekken die ze met elkaar voerden tijdens hun wandelingen. Hij was haar in geestelijke dingen in veel opzichten vooruit. Zou hij er niets van gemeend hebben? Zou het allemaal bedrog geweest zijn van die schijnheilige ...? Ineens komt de boosheid opzetten en denkt ze aan de keren dat hij met bijbedoelingen naar haar keek. Ze herinnert zich het moment in de schapenstal en ze denkt aan de vele andere keren, dat zij iets in zijn ogen zag dat haar niet aanstond, maar waaraan ze geen naam kon geven. Ze stampt met haar voet op de bodem van de auto. Het is haast niet te geloven, maar het kan niet anders: Peter wilde alleen maar haar lichaam!

Haastig doet ze haar portemonnee open, pakt zijn pasfoto eruit en scheurt die in kleine stukjes, maar dan schrikt ze van de stukjes, waarop ze gedeelten van zijn gezicht ziet. Nee, die stukken moeten weg, weg... Op een paar meter afstand ziet ze een prullenbak. Haastig grist ze de stukken pasfoto bij elkaar en verfrommelt die in haar hand. Ze opent de deur van de auto en voelt de koude nachtwind over haar verhitte gezicht heenglijden. Ze doet een paar stappen in de donkere nacht en huiverend doet ze de snippers in de prullenbak. Een, die aan haar hand blijft kleven, strijkt ze er met de andere hand af. Ziezo, die is ze kwijt!

Heeft ze nog iets anders van hem? Ze wil nooit, nooit meer met hem te maken hebben! Die vent met zijn vrome gedoe! Dan hebben haar vader en moeder toch gelijk gehad, dat ze geen verkering met die jongen moest hebben. Heeft zij over andere dingen ook te licht gedacht? Heeft ze in de boekwinkel te makkelijke contacten gehad en heeft ze gedacht dat die waarde hadden? Annelies, hoe heb je zo kunnen doen, komt een stem van binnen. Waarom is ze ingegaan tegen al de waarschuwende stemmen in de buurt en in de kerk? De mensen hebben haar zo vaak gewaarschuwd, was het niet met woorden dan wel met een enkele blik of een gebaar en zij heeft al die waarschuwingen in de wind geslagen. Zij wist het beter dan de mensen in haar buurt en dit is er van terechtgekomen! Nu hoort ze nergens meer bij, niet bij de buurt, want die is ze ontgroeid en niet bij Peter en zijn familie, want daar wil ze nooit meer komen en ze wil ook niet bij wereldse mensen horen.

Ineens dringt het tot haar door dat er in de Bijbel ook

iemand was die nergens bij hoorde. Dat was de blindgeborene die door de Heere Jezus genezen was en uit de synagoge geworpen werd. Maar toen mocht hij bij Jezus horen. En zij dan? Kent zij Jezus als haar Redder? Ineens ontsnapt een zucht haar mond en zegt ze zacht: 'Wie bent u Heere?'

Ze besluit het hoofdstuk van de blindgeborene te lezen, knipt het autolampje aan en pakt een bijbeltje uit haar dashboardkastje – vriendinnen vonden het wel eens vreemd dat ze er een Bijbeltje in had liggen – maar nu komt het goed uit. In het Johannesevangelie zoekt ze de geschiedenis van de blindgeborene op, ze leest en wordt stil vanbinnen. Hij moest afscheid nemen van zijn familie, van zijn geestelijke leidslieden en van iedereen en toch durfde hij te zeggen waar het om ging. Maar toen hij op straat kwam te staan, wist hij het ook niet meer en toen kwam Jezus bij hem en vroeg hij Hem om hulp. Dat kan zij toch nu ook doen! Ze vouwt haar handen over de Bijbel op haar schoot heen en dan daalt de rust in haar ziel, zo verrassend als het nog nooit gebeurd is. 'Ik geloof u, Heere,' zegt ze in gedachten, 'ook al gelooft niemand mij.'

Als ze haar ogen open doet, is alles anders. De nacht om haar heen maakt haar niet bang, integendeel, ze zou het niet vreemd gevonden hebben als de lucht rondom haar ineens gevuld zou zijn met lichtende engelengestalten. Rustig en vergenoegd blijft ze zo even zitten met de handen gevouwen.

Dan krijgt ze de energie en de moed om te handelen. Het eerste wat ze doet is naar huis bellen, omdat ze beseft dat ze wel heel erg ongerust over haar zullen zijn.

'Ja met Annelies,'

....

'Waren jullie al ongerust? Ik kan het me voorstellen, laat ik u geruststellen door te zeggen dat met mij alles goed is.'

......

'Waar ik nu zit? Ik denk van in Duitsland.'

......

'Ik vertel later wel een keer hoe dat allemaal gekomen is.'

......

'Er is iets aan de hand met Peter, het is uit tussen ons....'

Als ze dat gezegd heeft voelt ze ineens de tranen komen. Ze weet zich nog in te houden en te zeggen: 'Ik vertel het nog wel eens. Dag hoor!' Daarna drukt ze de knop in.

Met het mobieltje nog in haar hand begint ze ineens te huilen, hoewel ze zich vast voorgenomen had dat niet te zullen doen. Het mobieltje valt uit haar hand, maar ze merkt het nauwelijks, het snikken gaat maar door, haar hele lichaam schijnt in opstand te komen tegen alles wat er gebeurd is. Eerst boent ze met de rug van haar hand over haar ogen om het te doen stoppen, maar dan geeft ze eraan toe, omdat er verder toch niemand in de buurt is. Ze legt haar hoofd op de mouw van haar jas en dan begint ze met lange uithalen te huilen.

Toch komt het moment dat het afgelopen is en dan voelt ze zich vreemd leeg. Het lijkt alsof er ineens een grote afstand tussen het gebeurde en nu gekomen is en of het allemaal zo erg niet is. Ze kijkt in de autospiegel, ziet dat het lampje nog steeds aan is en dat ze een erg behuild gezicht heeft. Op dat ogenblik is de wilskrachtige Annelies weer present. Ze maakt haar gezicht zo goed mogelijk schoon met een papieren zakdoekje, besluit naar het restaurant, dat zo te zien nog open is, te gaan om wat te drinken en te eten en intussen op de kaart te kijken hoe ze terug moet. Ook zonder Peter gaat haar leven door!

5

Wim staat in zijn eentje op het plein. Er is hem iets overkomen wat nog nooit gebeurd is! Overal om hem heen staan groepjes jongeren hevig te debatteren of te schaterlachen. Wim kijkt naar zijn klasgenoten die een eindje verderop staan en hij voelt de frustratie opkomen. Het liefst had hij bij hen gestaan, zoals altijd, maar hij kan er toch niets aan doen dat alles zo gelopen is? Buiten de boot vallen is wel het laatste wat hij wil. Hij heeft zich op school en thuis altijd goed gehandhaafd door niet op te vallen, maar nu lukt het niet meer.

Hij kan wel stampvoeten om zichzelf, want waarom doet hij nu zo dwaas? Vroeger schold hij watjes uit die niet met hun klas optrokken en nu staat hij hier zelf notabene en dat wil hij helemaal niet!

Het is begonnen met dat ongeluk, toen is zijn wereld in elkaar gestort. Tot dan had hij gedacht dat hij het wel zou redden in de wereld. Hij kon zich gemakkelijk aan allerlei situaties en aan elk gezelschap aanpassen en zijn leven verliep rustig, maar sinds die bewuste avond bespringen de akelige gedachten hem als een leeuw zijn prooi, zo onverwacht en zo sluw. Voordat hij het zelf weet, glijden zijn gedachten weer af naar die avond. Hij ziet weer die twee gezichten op de grond voor zich en die om de boom heen gekrulde auto en de blauwe lichten van de ambulance in het donker en weer klinken de geluiden van de sirene in zijn oren. Hij weet zelfs nog heel veel van het telefoongesprek dat hij toen met Annelies voerde, soms komen er zomaar flarden van terug. 's Nachts slaapt hij vaak niet goed meer of hij droomt van een ongeluk of van de dood of dat hij voor Gods rechterstoel moet verschijnen. Hij heeft een keer een middeleeuws plaatje gezien van God als Rechter op de wolken met allerlei mensen die door de lucht naar

Hem toegevoerd werden. Hij zag zichzelf ineens meegaan naar boven en toen hij voor God moest komen voelde hij doodsangst, omdat hij voor eeuwig in de hel zou moeten blijven. Een verschrikkelijk zwart monster met grote vleermuisvleugels en kikkerpoten nam hem mee, het leek wel een gedrocht dat zo weggelopen was uit een van de schilderijen van Jeroen Bosch, en het wierp hem ineens naar beneden, waar hij op de tanden van een zaag terechtkwam, die heen een weer gingen. Hij voelde vreselijke pijnen en het ging maar door, eerst in zijn rug en toen in zijn hart, totdat hij helemaal doormidden gezaagd was. Toen hij om zich heen keek zag hij verdoemden naar beneden vallen, terwijl vreemde, monsterachtige wezens hun klauwen naar hen uitstrekten, hen beetpakten en naar een pikzwarte rivier sleurden, waarna de verdoemden in de kolkende zwarte stroom uit het zicht verdwenen.

Wim weet goed hoe hij op zulke momenten vocht om wakker te worden, maar het wilde niet, hoe raar het ook klinkt. Hij wilde dit akelige niet meemaken, hij wilde weer lachen net als vroeger en erbij horen, bij zijn vrienden en bij Gert, maar het ging niet, want de gedachten kwamen telkens terug.

En nu staat hij hier alleen. Het is eigenlijk gekomen door Harrie en Wessel, die zelf niet bepaald populair zijn bij de groep en die hem begonnen te pesten. Harrie zei op een keer: 'Wat zie je toch, Wim?'

Wim zag dat al de anderen naar hem keken en hij voelde dat hij rood werd. 'O, ik zie niks,' had hij gezegd.

Dat antwoord was olie op het vuur, want toen zei Wessel: 'Die is goed, hij ziet niks en hij kijkt steeds of hij iets ziet. Je wilt zeker helderziende worden? Vertel eens wat er achter de muur van de school gebeurt.'

'Het lijkt me wel een goed idee,' had een meisje gezegd, Wim weet niet meer of het Hilda was of Sandra, 'als je zo helderziend bent, dan weet je ook vast de vragen van die we krijgen met de repetities tevoren.'

Toen begonnen ze allemaal door elkaar te praten.

'O ja, en dan weet je ook zelf van tevoren welk cijfer je krijgt. Dat lijkt me geinig, je doet er niets voor en je weet dat je toch een zes of zo krijgt.'

'Nee, een tien, hij wil elke keer een tien hebben.'

'Ik vind het hier eng worden, we horen de laatste tijd zo vaak over occultisme en zo. Als die Wim maar niet occult belast is.'

Ze waren in lachen uitgebarsten, Wim kon er niet meer tegen en draaide zijn hoofd om. Toen was er een die zei dat hij dat kinderachtig vond, omdat je toch tegen een grapje moet kunnen.

'Ik zal toch zelf weten waar ik kijk,' had Wim op geraakte toon geantwoord.

'Daar ben je steeds mee bezig,' zei er een, 'je kijkt al steeds dwars door die muur heen.'

Wim voelde zich van binnen witheet worden, maar hij wist dat je het nooit moet opnemen tegen een hele groep, dat verlies je altijd. Daarom had hij zich beheerst, niet op de grond gestampt, niet boos gedaan, maar hij had wel een stap opzij gezet en dat had Harrie opgemerkt.

'Kijk jongens, hij neemt een andere positie in,' zei hij en hij genoot van zijn opeens verkregen gezag. Wim had wel in de gaten dat Harrie de boel opjutte, maar wat kon hij ertegen doen? Als hij met Harrie zou gaan vechten had hij het zeker verloren, want wie zijn handen niet thuis kan houden is altijd de verliezer. Als hij weg zou lopen, hadden ze hem misschien wel uitgelachen, dus bleef hij staan zonder iets te zeggen. Hij hoopte dat de bui zou overgaan en dat Harrie de volgende keer iemand anders op de korrel zou nemen.

Zo was het niet gegaan, Harrie had hem tijdens de volgende pauze al direct in de peiling en begon weer negatieve grappen over hem te maken en ook toen vonden de anderen het wel leuk. Het viel Wim tegen van hen dat ze hem nu allemaal lieten vallen. Daar had hij het nooit naar gemaakt, want hij had zich altijd aangepast aan de groepsnormen.

Hij moest denken aan een varken in het varkenshok thuis, dat ineens het mikpunt werd van de andere dieren in het hok zonder dat duidelijk was waarom. Het dier was wel iets magerder, maar verder was er niets bijzonders aan te zien. De andere varkens beten het beest in zijn oren en zijn staart tot het dier bloedde en dat bloed was het sein om de aanvallen te verhevigen, ze bleven maar doorgaan. Als Wim zijn vader niet geroepen had, was het varken beslist doodgegaan. Zijn vader had eerst de andere varkens met een stok bij het toegetakelde dier weggeslagen, waarna hij het dier uit het hok haalde en in een klein hok deed, waar het uitgeput op de grond bleef liggen. Het varken knapte al na een paar dagen op en zijn vader wilde het terug doen bij de andere varkens, omdat apart voeren erg lastig was, maar het ging niet. Het was heel vreemd, want toen het ene dier er niet was werd er niet gevochten, maar toen het terugkwam begonnen ze direct weer. Blijkbaar mocht het er niet meer bijhoren en daarom heeft zijn vader het maar gauw weer teruggebracht naar het aparte hokje, waar het gebleven is tot het naar de slachterij ging.

Dat beeld blijft Wim bij als hij aan zijn klasgenoten denkt. Er was altijd wel een klasgenoot die een minder prettige opmerking tegen hem maakte en al was er ook wel eens iemand die het voor hem opnam, het was niet genoeg om het tij te doen keren. Hij lag eruit bij de anderen... Het zou Gert niets schelen als ze hem links zouden laten liggen en Annelies evenmin, die gingen toch al altijd hun eigen gang. Waarom moet het hem juist overkomen?

En dan is daar Harm, de jongen die hij op zaterdagavond bij het café zag staan om te evangeliseren en die hij toen zo vreemd vond.

'Hoi,' zegt die op een keer, 'wat sta jij hier alleen?'

Het zijn bijna dezelfde woorden die Harrie gebruikte, maar de toon is anders.

Wim haalt zijn schouders op en zegt: 'Ik moet toch ergens staan?'

'Waarom sta je dan niet bij je klasgenoten?'

Weer haalt hij zijn schouders op en nu zegt hij: 'Weet ik niet.'

'Moeten ze je niet?'

'Weet ik niet.'

'Jij bent toch die jongen die ik op die zaterdagavond net voor het ongeluk aansprak?'

Op een knikje van Wim vervolgt hij: 'Ja, dat herinner ik me, omdat jullie gelijk met die jongelui weggingen. Heb je het ongeluk zien gebeuren?'

Wim schudt weer met zijn hoofd, maar hij doet het blijkbaar op zo'n treurige manier dat Harm in de gaten heeft dat er iets aan scheelt. 'Heeft het ongeluk ermee te maken?'

'Waarmee?'

'Dat je niet bij je klasgenoten staat?'

Ineens voelt Wim boosheid in zich opkomen jegens Harm die zich met dingen bemoeit die hem niet aangaan en hij zegt: 'Nee, absoluut niet!' Daarop draait hij zijn hoofd om, net zo lang tot hij Harm weg hoort lopen. Ziezo, die is weg! Hij moet toch zelf weten, waarom hij hier gaat staan en dan dat gepraat over het ongeluk!

Een paar dagen later staat Wim weer alleen op het plein. Zijn klasgenoten zijn het inmiddels gewend en letten niet meer op hem. Wim kijkt vreemd op als Harm naar hem toekomt en zonder inleiding zegt: 'Het was pas niet mijn bedoeling om je pijn te doen, ik wilde je alleen maar helpen.'
'Je hielp mij absoluut niet en het had er bovendien niets mee te maken,' antwoordt Wim fel.
'Echt niet?' vraagt Harm en kijkt hem een moment recht in zijn ogen. Wim hoort dat de toon van Harm heel anders is dan die van zijn klasgenoten en hij weet dat hij van Harm geen gevaar te duchten heeft.

'Zeg,' gaat Harm direct verder, 'ik heb ook van alles meegemaakt en ik weet hoe je je voelt: al die dingen die gebeurd zijn, draaien rond in je hoofd en je denkt misschien wel aan de dood. Ik wil je niets opdringen, maar misschien helpt het als ik een keer met je praat. We moeten toch dezelfde kant op naar huis, misschien kunnen we na schooltijd samen naar huis fietsen. Als je het gesprek na een tijdje niet leuk meer vindt ga je gewoon harder fietsen, dan weet ik genoeg. Hoe laat ben je uit?'
'Tien voor twee.'

'Dat treft niet, ik heb les tot tien over half drie, hoe laat ben je morgen uit?'

'Zelfde tijd.'

'Jij hebt ook een mooi lesrooster zeg, twee dagen achter elkaar om tien voor twee uit.'

'De andere dagen niet.'

'Dat moest er nog bijkomen, maar het komt morgen goed uit, dan ben ik ook om tien voor twee vrij. Ik wacht wel op je bij het fietsenhok.'

'Misschien ben ik dan al weg.'

'Dat moet je zelf weten natuurlijk, ik houd je niet vast.'

Op dat moment gaat de bel en gaan beiden met een groet uit elkaar. Wim voelt aan dat Harm het beste met hem voorheeft, hoewel hij er toch tegenop ziet om met hem te praten. Harm zal natuurlijk weer over het ongeluk beginnen en dan zal hij het ook over het geloof hebben en daar voelt Wim niet zoveel voor!

De volgende middag uit school vordert het gesprek beter dan toen op het plein. Het komt misschien ook wel doordat ze nu met z'n tweeën zijn en van niemand last hebben. Harm valt hem mee, omdat hij praat over allerlei gewone dingen als huiswerk, sport, muziek en het nieuws. Pas als ze buiten de stad fietsen begint hij over het ongeluk.

'Wordt er bij jullie in de klas nog wel eens over het ongeluk gepraat?'

'Nee, dat doen ze al lange tijd niet meer, ze praten liever over leuke dingen, denk ik. In het begin hadden ze het er wel over, maar na een week was het onderwerp een taboe geworden. Ik vind het niet erg dat ze er niet steeds over praten, maar ik vind het gewoon gek dat ze het er helemaal niet meer over willen hebben. En dan die stomme Harrie en Wessel! Ze hoorden er vroeger eigenlijk nooit echt bij en dat zijn nu de jongens die het gemaakt hebben!'

'Ach joh, dat duurt maar even, dan vallen ze weer buiten de boot en hoor jij er weer bij.'

'Dat denk je!' valt Wim ineens hartstochtelijk uit, 'als je weet hoe die twee tegen mij gedaan hebben en hoe populair ze zijn bij de anderen...'

'...ten koste van jou, dat houdt toch geen stand. Let maar eens op mijn woorden: negatievelingen blijven niet populair. Zij moeten steeds weer wat anders verzinnen om in de gunst te blijven en daarvoor hebben ze steeds weer andere slachtoffers nodig, maar jou kunnen ze niet meer pakken.'

'Het scheelt me ook niks meer, ik reageer niet als ze wat zeggen, dan hebben ze er ook geen plezier van, wat kan mij die klas schelen!'

'Precies!'

Wim lacht schamper en draait zijn hoofd om. In de verte ziet hij een blauwe Ford trekker over een achterafweggetje rijden. Iets meer naar links rijdt een vrachtauto van de meelfabriek naar een half achter de bomen verscholen boerderij.

Hij merkt dat Harm zijn vriend wil worden, maar komt hij dan niet van de regen in de drup? Wat moet je met een vriend die evangeliseert? Hij voelt er beslist niet voor om op zaterdagavond met hem mee te gaan evangeliseren.

Wim draait zijn hoofd terug en vraagt haast tot zijn eigen verrassing: 'Waarom ga jij op zaterdagavond evangeliseren?'

'Omdat ik niet anders kan,' antwoordt Harm onmiddellijk.

'Maar jouw vader is toch ook gewoon boer?'

'Ja, wat zou dat?'
'Nou, evangeliseren doen toch alleen maar stadslui?'
'Iedereen zou het moeten doen!'
'Hoe kom je daar nu bij?'
'Iedere christen zou van de Heere Jezus moeten vertellen.'

Wim weet niet goed wat hij met dat antwoord aan moet en vraagt verder: 'Hoe kom je zo, je bent zo anders dan de andere boerenjongens.'

'Er zijn in mijn leven bijzondere dingen gebeurd. Jezus heeft ingegrepen in mijn leven en toen heb ik voor Hem gekozen en Hij heeft mijn leven radicaal veranderd. Ik denk dat ik jou daarom zo goed begrijp. Het begon met mij ongeveer net zoals met jou. Een oom van me, bij wie ik heel veel kwam, kreeg kanker. Ik heb veel gebeden dat hij beter zou mogen worden, maar het heeft niet geholpen, mijn oom stierf. Ik was toen zo verdrietig dat ik er gewoon niet meer bovenop kon komen. Ik moest steeds aan de dood denken. Op dat moment lag ik er in de klas ook uit, wat ik eerst heel erg vond, net als jij. Nu maakt het me niets meer uit, ik ga gewoon mijn eigen gang. Om verder te gaan, ik kwam ineens alleen te staan, totdat er iemand naar me toe kwam om met me te praten. Ik merkte dat hij me echt probeerde te helpen en van het een kwam het ander, we kwamen vaak bij elkaar en op zijn verzoek ging ik een keer met hem mee naar een evangelisatiebijeenkomst. Ik deed het echt niet, omdat ik zo naar Jezus verlangde, maar ik was al lang blij dat ik weer een vriend had en dat ik ergens bij hoorde. Dus ik ging mee en je kunt het geloven of niet, maar op die avond is het gebeurd!'

'Wat is er dan gebeurd?'

'Tijdens die bijeenkomst kwam Jezus in mijn hart en ik heb Hem mijn hart gegeven. Joh, je weet niet wat het is, Hij vervult mij helemaal en ik wil nu voor Hem leven door Hem te aanbidden, over Hem te praten, over Hem te lezen en te doen wat Hij graag wil dat ik doe. Ook probeer ik anderen voor Jezus te winnen en dat geeft zo'n goed gevoel, nou ja niet alleen het gevoel, maar helemaal.'

'Heb jij ook zo'n bandje met WWJD?'

'Jazeker heb ik die. Jullie vinden die tekst niet goed hè, omdat jullie vinden dat het er meer om gaat wat Jezus gedaan heeft, maar het een sluit het ander niet uit. Het belangrijkste is wat Jezus voor mij gedaan heeft, namelijk Zijn leven geven voor mijn zonden en nu vraag ik telkens wat Jezus gedaan zou hebben in mijn situatie. Daar krijg je een kick van man! Zoals ik het nu zeg klinkt het een beetje oneerbiedig, ik bedoel dat ik tot eer van God wil leven en anderen voor Hem wil winnen. Daarom sta ik bij cafés en achter bijbelkramen en daarom ga ik in de zomer op campings evangeliseren. Ik heb het meer dan eens meegemaakt dat iemand zijn hart aan Jezus gaf en dat is geweldig!'

'Zoals ik nu...'

'Dat weet ik niet.'

Wim vindt Harm een aardige vent, maar hij denkt zo heel anders over geloof en bekering dan bij hen in de kerk. Hij weet nog goed wat een drama's er geweest zijn toen Annelies verkering kreeg met Peter. Harm zal wel naar een evangelische gemeente gaan en daar moeten zijn ouders helemaal niets van hebben. Hij kan het gesprek het beste over een andere boeg gooien.

'In welke klas zit jij?'

'In vwo 6, maar ik ben een jaartje ouder dan de meeste klasgenoten, omdat ik een jaar over heb moeten doen. Dat was in havo 4, na de havo ben ik overgestapt naar het vwo, dus ik heb zelfs twee jaar achterstand, als je het vergelijkt met iemand die gewoon vwo doet.'

'Dan ben je achttien.'

'Negentien zelfs, ouwe bok, niet dan?'

'Dat wil ik niet zeggen, ik denk even aan mijn zus, die is ook negentien en ze werkt al een hele tijd, het is gewoon een vreemd idee.'

'Heeft ze ook vwo gedaan?'

'Nee, havo en ze is nooit blijven zitten.'

'Dan zat ze wel in hetzelfde jaar als ik, hoe ziet ze eruit?'

'Ze is ongeveer een meter zeventig en ze heeft mooi lang blond haar, een knap gezicht en ze is heel serieus. Ze werkt in een boekwinkel en ze leest veel, vooral van die Amerikaanse romans en ook prekenboeken en zo, maar ik weet niet welke, daar bemoei ik me nooit mee.'

'Hoe heet ze?' vraagt Harm geïnteresseerd.

'Annelies, wat zou dat?'

Wim ziet dat het gezicht van Harm rood wordt en hij vraagt, nieuwsgierig geworden: 'Ken je haar?'

'En of ik Annelies ken? Wat dom dat ik daar niet meteen op kwam! We zaten niet in dezelfde klas, maar we hadden wel een paar gezamenlijke lessen en op het plein praatten we ook wel eens met elkaar. Ik had eerst niet in de gaten dat ze een zus van jou was, maar toen je de beschrijving gaf, wist ik het direct. Dat was een serieus type! Zo'n eigen mening als zij had en het maakte haar niets uit of anderen het er wel of niet mee eens waren!'

Ineens zwijgt Harm en zijn ogen krijgen een dromerige uitdrukking.

'Waarom wil jij je vwo halen?' vraagt Wim, overspringend op een ander onderwerp.

'O, ik wil als het kan na de middelbare school een theologische studie gaan volgen.'

'Ja, dat lijkt me net iets voor je.'

Wim ontdekt ineens dat hij rechtsaf moet en zegt: 'Ik denk dat jij hier rechtdoor gaat, ik moet hier rechtsaf. Zal ik mijn zus de groeten doen?'

'Goed.'

6

Met een zucht van opluchting haalt Wim het melkstel onder de laatste koe vandaan. Ziezo, dat werk is weer gebeurd. Zijn vader vroeg hem om de koeien te melken, omdat hij zelf naar een vergadering moest. Wim doet het werk natuurlijk wel, maar hij houdt niet van koeien melken omdat je er zo vies van wordt en het heel wat tijd in beslag neemt. Hij hangt het melkstel over zijn schouder en legt het in een bak. Het melkstel en de melkleiding moeten nog doorgespoeld worden en dat kost ook weer tijd. Als hij de warmwaterkraan juist aangezet heeft, hoort hij dat de deur van de melkkamer opengaat en dan komt Annelies binnen, met een kan in haar hand, om melk te halen. Meteen gaat het door hem heen dat dit een kans is om een goed gesprek met zijn zus te krijgen. Gert gaat de laatste tijd steeds meer zijn eigen gang en hij heeft weinig contact met hem, terwijl hij met zijn vader en moeder helemaal niet kan praten. Er moet toch iemand in huis zijn met wie je goed overweg kunt?

Annelies is wel een goede zus, maar hij heeft niet zoveel contact met haar, omdat ze haar eigen gang gaat, een aantal jaren ouder is en zich bovendien veel bezighoudt met lezen en geloofszaken, dingen die hem tot dan weinig interesseerden.

Gert en hij hebben vaak ruzie met haar gehad over het gebruik van haar computer. Als hij daaraan terugdenkt, schaamt hij zich: de computer was van haar en zij gebruikten die net alsof hij van hen was.

Wim zou met Annelies ook best eens willen praten over de verkering met Peter die uit is, omdat hij er niets van snapt. Volgens hem zit ze er zelf ook mee, want ze is vaak chagrijnig of mopperig en dat is niets voor haar.

'Zal ik je even helpen,' biedt hij aan.

'Nou, nou, je bent anders niet zo galant,' zegt ze half gemeend, half voor de grap.

'Jij weet helemaal niet hoe galant ik kan zijn.'

Hij merkt aan haar gezicht dat ze haar stekels opzet en voegt eraan toe: 'Of geloof je me niet?'

'Jazeker, Wim, natuurlijk geloof ik jou, help me maar gauw met die melk en begin niet zo te zeuren.'

'Wel nu nog mooier, wat zeur ik eigenlijk?'

'Nou ja, je zeurt niet, maar ik wil gewoon dat je me gauw helpt.'

'En ik wilde je nog wel iets belangrijks vragen, dan kan ik dat zeker ook beter maar niet doen?'

Wim merkt dat haar gezicht verandert. 'Sorry, Wim, dat ik een beetje kattig was, ik bedoelde het niet zo. Ik vind het juist fijn dat je iets aan me wilt vragen, want we hebben toch al zo weinig contact. Bij ons thuis gaat gewoon iedereen zijn eigen gang, niemand deelt iets met een ander en ik doe er zelf aan mee. Wat wil je zeggen?'

'Ik, ik… eh…,' ineens kan Wim niet verder.

Annelies blijft naar hem kijken zonder iets te zeggen. Als hij naar haar rustige ogen ziet, durft hij weer en gaat hij verder. 'Jij durft altijd zo goed voor je mening uit te komen, zei Harm.'

'Nou, niet altijd hoor en wie is Harm nou weer?'

'Harm zit in 6 vwo. Hij kende je nog van de havo, zei hij en ik moest je de groeten doen. Nu evangeliseert hij op zaterdagavond bij cafés en disco's in de stad.

'Hoe heet hij verder?'

'Harm de Graaf, hij woont hier niet zo ver vandaan op een boerderij.

'O, die ken ik wel, hij heeft op de havo gezeten, volgens mij is hij een keer blijven zitten, ja hij is heel serieus, doet hij nu vwo?'

'Ja, na de havo is hij naar het vwo gegaan.'

'Zal ik je eerst maar even helpen met de melk?' vraagt Wim, terwijl hij het kannetje pakt en de afsluiting van de melktank voorzichtig opendraait. Als je dat onvoorzichtig doet, stroomt de melk zo snel, dat je makkelijk knoeit. Op het moment dat de witte straal uit de leiding in de kan stroomt, komen twee poezen, die zich vermoedelijk onder de melktank ophielden, te voorschijn. De ene begint te snorren en strijkt met de rug tegen het been van Wim, de andere kijkt met een verlangende blik en een uitgestoken tongetje, dat heen en weer gaat, nu eens naar de doorgaande stroom melk en dan weer naar het gezicht van Wim, die weet wat dat betekent. Hij kijkt naar de wit-zwarte poes, die een enkel vlekje roodbruin heeft, en hoort dat het zachtjes miauwt.

Ziezo, de kan is nagenoeg vol, Wim sluit de leiding weer en pakt het kannetje op. Wacht, eerst zal hij de poes een beetje melk op een schoteltje geven. Het dier heeft het al in de gaten, want het begint te likken zodra de eerste druppels op het schoteltje vallen. Wim weet dat hij nu iets moet zeggen tegen Annelies, maar de woorden willen niet komen. Hij richt zich op uit zijn gebukte houding en kijkt naar haar zoals ze daar staat met de volle kan melk in haar handen. Op hetzelfde moment kijkt ze naar hem en hun ogen blijven elkaar even vasthouden. Annelies maakt het hem makkelijk door te zeggen: 'Is er iets bijzonders, Wim?'

Wim schaamt zich, omdat je tegen je zus niet te koop loopt met de dingen die je bezighouden en toch wil hij het eigenlijk wel.

'Nou ja, iets bijzonders...,' houdt hij de boot af.

'Ik vind je de laatste tijd niet zo goed in je doen.'

'O.'

'Heeft dat met het ongeluk te maken?'

'Weet ik niet.' Wim haalt zijn schouders op.

'Ik vind je de laatste tijd zo anders. Vroeger zag ik je altijd samen met Gert en nu haast niet meer en ik zie je ook heel vaak stil voor je uit kijken. Volgens mij heb je iets.'

'Och ja, Gert...'

'Met hem gaat het ook niet goed, hij gaat te veel naar

cafés en disco's en hij drinkt te veel. Er komt een keer een moment dat hij verslaafd raakt als hij het nog niet is. Ik weet dat pa en ma zich grote zorgen over hem maken, maar zij weten niet wat ze eraan moeten doen. En zodra ze erover beginnen, hebben ze al een grote mond te pakken.'

'Gert is voor mij altijd goed geweest, ik mocht altijd mee als hij wegging en hij wilde er nooit geld voor hebben en als pa en ma iets hadden nam hij het altijd voor me op.'

'Waarom ga je de laatste tijd niet meer met hem mee?'

Wim kijkt om zich heen, bang om het achterste van zijn tong te laten zien, terwijl hij toch graag tegen Annelies wil zeggen wat hem bezighoudt. Nee, er is niemand, natuurlijk is er niemand!

'Je hoeft echt niet bang te zijn, dat ik je woorden aan een ander zal vertellen.'

'Nou ja, weet je nog dat ik je belde na het ongeluk?'

'Natuurlijk!'

'Na die tijd vind ik er niets meer aan.'

'Waar vind je niets meer aan?'

'Gewoon, aan alles.'

Annelies kijkt hem opmerkzaam aan. 'Ik had niet in de gaten dat jij in zo'n dip zat,' zegt ze dan. 'Heb je het gebeurde van die avond niet goed verwerkt? Zie je de dingen die er toen gebeurd zijn, telkens weer in je gedachten afspelen of droom je ervan? Als dat zo is, moet je er wel met anderen over praten, want anders kun je psychische problemen krijgen. Er zijn tegenwoordig zoveel mensen, ook jongeren, met psychische problemen, dat wil je niet weten. Er zijn genoeg boeken over dat soort onderwerpen, maar jij leest haast niet, dus...'

'Nee, ik heb geen zin om er een boek over te lezen.'

Dan stopt Wim met praten en kijkt hij over de tegelvloer weg naar het afvalputje. Aan Annelies heeft hij ook niets, merkt hij. Ze doet zo moeilijk en zo mistig en begint meteen over psychische problemen die je moet verwerken. Hij kijkt naar de poes en ziet het tongetje snel heen en weer gaan bij het oplikken van de melk en vraagt zich af of hij nu weg zal gaan.

Annelies is hem voor, ze komt een stap naar hem toe, legt een hand op zijn schouder en zegt: 'Wim, ik deed niet aardig, waarmee kan ik je helpen?'

'Je hoeft me niet te helpen,' zegt hij, draait zich om en loopt met grote stappen het melklokaal uit.

Het zit hem niet lekker wat hij gedaan heeft, omdat hij weet dat Annelies echt naar hem wilde luisteren. Op andere momenten denkt hij dat het maar beter is dat hij niet met zijn zus gepraat heeft over zijn problemen, want ze begrijpt hem toch niet.

De daaropvolgende zaterdagavond zijn ze met z'n tweeën thuis, want hun ouders zijn naar opa en oma van moeders kant. Wim had geen zin om met Gert mee te gaan, hij weet precies hoe het gaat: Gert gaat eerst indrinken in de keet hier in de buurt tot een uur of tien, elf en dan gaat hij naar het café in de stad tot hij het zelf tijd vindt om te vertrekken. Voor twaalf uur is hij de laatste weken niet meer thuis. De eerste keren maakten zijn ouders een vreselijk drama, maar nu lijken ze geaccepteerd te hebben dat Gert zijn eigen gang gaat.

Wim leest in een boek als Annelies met de koffie de kamer inkomt. 'Doe dat boek maar weg,' zegt ze, 'en drink gezellig een kopje koffie.'

Wim kijkt op uit zijn boek en zijn ogen ontmoeten die van Annelies. Hij leest er geen boosheid in vanwege het afgebroken gesprek eerder deze week en dan legt hij zijn boek weg.

'Ik heb lekkere koeken opgezocht, omdat het zaterdagavond is.'

'Waarom ga jij nergens heen?'

'Geen zin sinds de verkering uit is.'

'Hoe krijg je dat nu voor elkaar, ik dacht dat Peter het helemaal was?'

'Ik denk dat Peter niet de juiste voor me is.'

Wim hoort iets in haar stem dat hem doet besluiten niet verder door te praten over dit onderwerp, anders gaat het net als de vorige keer...

'Je hebt lekkere koffie, Annelies, jij maakt ze wat sterker dan moeder, die doet er zo'n plons melk in, dat je meer koe dan koffie proeft.'

'Ik maak in de winkel meestal de koffie klaar en Van Zanten houdt ook van wat sterkere koffie. Ik houd er rekening mee hoe de mensen de koffie willen drinken. Voor vader en moeder doe ik er meer melk bij en voor Gert maak ik de koffie nog sterker dan voor jou. Had je geen zin om met Gert mee te gaan?'

'Niet zo veel.'

'Ik maak me grote zorgen over hem, hij komt de laatste tijd ver na twaalf uur thuis in de nacht van zaterdag op zondag en volgens mij heeft hij dan heel wat gedronken, ook al beweer jij dat hij zijn drinkgedrag onder controle heeft. Ik ben bang dat het helemaal verkeerd met hem gaat. Ik zou hem graag willen helpen, maar zodra ik een gesprek met hem begin, krijg ik een grauw en een snauw en tegen pa en ma zegt hij helemaal niets. Ik weet zeker dat ze zich heel ongerust maken.'

'Als je over de Bijbel begint, zoals ma elke keer doet, weet je zeker dat het fout gaat, want daar wil hij helemaal niets van weten. Zeg, ik denk ineens aan Harm, die doet eigenlijk net zoiets als Gert, maar toch heel anders. Hij staat bij cafés om te evangeliseren. Volgens mij is dat een volstrekt zinloze bezigheid, omdat je daarmee de jongeren op de kast jaagt. Je komt net uit het café en je voelt je lekker en dan komt er zo'n gozer die over God begint te praten en dan is je goede stemming ineens weg!'

'Het zou kunnen, maar ik vind het wel dapper van Harm en bovendien: het kan toch zijn dat een woord iemand raakt en dat hij of zij onrustig wordt. Misschien hebben zijn woorden jou wel geraakt.'

'Ik denk het niet, zusje.'
'Waarom heb je het dan steeds over Harm?'
'Ik vind hem een goeie vent, hij kwam op een keer op het plein naar me toe.'
'Stond je dan niet bij je eigen klas?'
'Nee, toen niet, ik vind er op school niets meer aan.'
Wim ziet dat Annelies hem peinzend aankijkt. Zou ze nu weer enkele puzzelstukjes uit zijn leven aan elkaar proberen te passen?
'Vraag eens of hij hier komt op zaterdagavond, je kunt toch beter met zijn tweeën zijn dan alleen,' is haar reactie. 'Hij zal toch ook liever ergens gezellig binnen zitten dan in de kou bij een café te staan?'
'Dat weet ik niet, zus, volgens mij ziet hij het als een roeping om te evangeliseren en heeft hij echt geen zin om hier te komen.'
'Nou ja, hij hoeft niet per se op zaterdagavond te komen, het kan ook op een andere avond in de week.'
'Volgens mij studeert hij hard. Hij is na het halen van zijn havo-diploma overgestapt naar het vwo, maar ik denk dat het hem veel moeite kost. Hij vertelde tenminste dat hij op de havo een keer was blijven zitten.'
'Dan vraag je hem op vrijdagavond, zodat hij zijn huiswerk zaterdag overdag kan doen.'
Wim laat de woorden op zich inwerken en drinkt langzaam zijn laatste restje koffie op. Het lijkt hem nog niet zo gek om Harm eens te vragen, want 's avonds alleen thuis zitten bevalt hem niet.
'Zal ik nog een keer koffie inschenken?'
'Graag zusje.'

7

Annelies wordt zich, als ze het huis waarin Peter woont voorbij is, bewust dat ze wat extra gas gaf bij het passeren ervan. Nu dringt het tot haar door dat ze dat elke keer doet. In het begin wilde ze eigenlijk niet langs het huis rijden, omdat ze bang was dat Peter haar zou aanhouden of dat hij de auto dwars over de weg zou zetten om haar te beletten verder te rijden om een gesprek met haar af te dwingen, maar dat wil ze absoluut niet. Ze had er eerst over gedacht om om te rijden, maar dan zou ze een heel eind over de zandweg moeten rijden. Ze heeft het niet gedaan, maar het kostte haar veel moeite om het huis van Peter voorbij te komen. De eerste keer, keek ze recht voor zich uit en reed ze met een enorme vaart zijn huis voorbij. Toen er die keer en later niets gebeurde, kreeg ze meer zelfvertrouwen, maar toch draait ze nog elke keer als ze langskomt het hoofd om.

Ze mindert vaart bij de oprit van hun boerderij en rijdt dan langzaam naar de hooitas. Hé, wat vreemd, tegen de muur van het huis staat een fiets die ze niet kent. Langzaam rijdt ze de Corsa op zijn plaats, vlak naast een paal van de hooitas, en stapt dan uit, waarna ze het portier afsluit.

Als ze de kamer binnenkomt ziet ze dat Harm er is. Hij zit op een stoel tegenover Wim, terwijl haar vader en moeder op de bank zitten en ze zegt ongedwongen 'hoi' als ze binnenkomt.

Haar moeder staat direct op en vraagt: 'Wil je koffie, Annelies, ga maar op mijn plaats zitten.'

'Graag,' zegt ze en ze laat zich op de bank neerploffen. Vrijdagsavonds na het werk voelt ze zich altijd moe en ze is blij dat haar moeder dat weet en haar een beetje verwent. Even kijkt ze naar Harm om te constateren dat hij een prettig open gezicht heeft met helderblauwe ogen en kort lichtblond haar, ongeveer dezelfde kleur als zij. Hij is wel veranderd nadat zij hem de laatste keer gezien heeft, volwassener geworden.

Hij kijkt haar aan en begint te praten. 'Hé, Annelies, ik herkende je direct toen je binnenkwam, je bent in de tijd dat je van school bent niet veel veranderd.'

'Dat weet ik niet hoor.'

'Ik weet nog dat we met elkaar een keer gepraat hebben over homofilie en toen kon jij zo goed je woordje doen.'

'O, ik weet het echt niet meer.'

Annelies kijkt naar haar moeder die met de koffie de kamer inkomt en ze ziet dat ze lekkere koeken heeft. Pff, wat is ze moe.

Terwijl Annelies langzaam van haar warme koffie drinkt kijkt ze naar Harm die verdergaat met het gesprek met Wim. Ze vergelijkt hem onwillekeurig met Peter, maar als ze zover is kijkt ze een andere kant op, want ze wil niet aan Peter denken, ze wil helemaal niet aan jongens denken.

'Waarom ga je daar elke zaterdagavond staan?' vraagt haar moeder.

'Het is toch erg als kerkelijke jongeren van mijn leeftijd zich volgieten met bier en dat ze luisteren naar die afgrijselijke muziek? Hoe kunnen ze dan de volgende morgen met zegen in de kerk zitten? Ik wil hen duidelijk maken dat ze niet met een gedoopt voorhoofd in een café kunnen zitten en dat ze er niet gelukkig van worden, want dat word je pas als je Jezus volgt.'

'Maar die jongeren gaan daar toch uit eigen beweging heen?' vraagt Annelies' vader.

'Jazeker, ik spreek hen aan op hun geweten en de kans bestaat dat ze zich toch schuldig gaan voelen.'

'Zijn er wel eens jongeren die naar je luisteren?'

'Eh,...de meeste niet, als u dat bedoelt, dat geef ik toe, maar ik heb ook wel eens goede gesprekken, vooral na het ongeluk. Ik wil natuurlijk niet zeggen dat het ongeluk goed geweest is, maar er zijn wel jongeren in hun geweten geraakt. Ik krijg ook genoeg scheldwoorden naar mijn hoofd, maar gelukkig weet ik waarom ik het doe.'

'Jongen, dat werk kun je toch alleen maar doen als je bekeerd bent, doe jij het wel op de goede manier?'

'Ma,' zegt Wim, 'u vindt zeker dat alleen de dominee dat kan doen, maar die heeft wel iets anders te doen dan evangeliseren bij een café!'

'Nee, dat bedoel ik niet, ik bedoel, je had het erover dat iemand pas gelukkig is als hij Jezus volgt. Ja, ik zag wel, dat jij zo'n bandje om je arm hebt met die letters. Het zal allemaal wel goed bedoeld zijn, maar het steekt toch niet zo diep. Het gaat er niet direct om wat Jezus doet, maar het gaat erom of je een nieuw hart hebt en bekeerd bent, zodat je kunt zeggen dat je zonden vergeven zijn.'

Annelies ziet hoe haar moeder na die woorden een hoogrode kleur op haar wangen heeft en ze concludeert daaruit dat het heel moeilijk voor haar geweest moet zijn om het te zeggen, omdat ze gelooft dat haar eigen zonden niet vergeven zijn.

'Dat is natuurlijk eerst nodig,' bevestigt Harm met een knikje, om te vervolgen: 'Maar als je weet dat je zonden vergeven zijn, dan probeer je natuurlijk ook anderen zover te krijgen.'

'Nou, nou,' doet nu vader een duit in het zakje, 'ik vind dat nogal wat, om te zeggen dat je een ander zover moet krijgen, jij krijgt niemand zover, dat kan alleen God.'

Nu krijgt Harm een kleur. 'Zo bedoelde ik het niet, ik bedoelde te zeggen dat je graag wilt dat ook anderen vergeving van zonden ontvangen, ik weet ook best dat het vergeven van zonden Gods werk is.'

'Je deed net alsof je God daarbij een handje moet helpen.'

'Zo bedoelde ik het niet, ik wilde alleen maar zeggen dat ik moet aandringen bij de jongeren om zich te bekeren.'

'Dat kunnen ze toch niet zelf, want dat is toch het werk van God?'

'Nou ja, u weet wel wat ik bedoel, ze moeten in ieder geval niet meer naar het café gaan, daar zijn we het wel over eens.'

'Maar ook als Gods volk verlost is van de zonde dan nog voelt het zich vaak schuldig, omdat het zonde blijft doen,' zegt moeder.

'Dat zal wel waar zijn, maar je voelt je toch ook blij?' vraagt Harm. 'Wij hebben het er thuis ook wel eens over gehad. Mijn vader en moeder hadden het er altijd over dat Paulus zei: 'Ik ellendig mens, wie zal mij verlossen uit het lichaam dezes doods?' Maar ik ervaar het anders. Ik mag leven met de Heer en Jezus volgen en daar word ik blij van.'

'Geloven is zo eenvoudig niet,' komt de stem van haar vader.

Annelies, die zich tot nu toe afzijdig gehouden had, begint zich op te winden. Waarom kunnen haar vader en moeder niet gewoon luisteren naar die jongen die hier voor de eerste keer komt? Waarom hebben ze meteen weer hun mening klaar en veroordelen ze een ander? Het geloof van Harm is naar hun maat natuurlijk niet goed genoeg, maar hoe weten ze dat eigenlijk, ze kennen immers allebei dat geloof zelf niet?

Een beetje gepikeerd valt ze uit: 'Geloven is heel eenvoudig, dat staat in de Bijbel.'

Haar moeder kijkt een beetje verschrikt, haar vader zegt: 'Waar staat dat in de Bijbel, kind?'

In de Bijbel staat: 'Geloof alleenlijk' en er staat ook dat je moet worden als een kind. Jullie altijd met je verhalen dat geloven zo moeilijk is. In de Bijbel staat helemaal niet dat je je zonden moet kennen of dat je aan allerlei eisen moet voldoen, maar wel dat je alleen moet geloven in de Heere Jezus en Hem moet volgen, dat is alles.'

Op het moment dat ze het zegt, heeft ze spijt van haar woorden, want ze ziet dat haar moeder heel verdrietig kijkt en dat haar vader boos begint te worden. Er is hier in huis al zoveel ruzie, moet zij het nog erger maken?

'Je weet best dat er meer in de Bijbel staat,' antwoordt haar vader. 'Er staat ook in dat je berouw moet hebben over je zonden en dat je pas kunt geloven als je berouw hebt over je zonden en dat kun je niet zelf, want er staat ook dat het geloof een gave Gods is.'

Annelies zou duizend dingen kunnen zeggen, maar ze doet het niet en het gesprek valt stil.

'Wat doe jij voor werk?' vraagt Harm even later aan haar.

'Ik sta in een christelijke boekwinkel en kom net terug van m'n werk.'

'Mooi werk?'

'Jazeker, ik doe het graag. Ik vind het fijn om mensen te helpen bij het maken van een keuze. Het is belangrijk dat mensen een boek kopen dat ze zelf mooi vinden en niet één dat ik mooi vind, want dan loop je het risico dat ze de volgende keer niet terugkomen.'

'Wat doe je als mensen een boek willen dat je zelf niet mooi vindt?'

'Het is hun keus, ik houd hen niet tegen.'

'En als ze een boek willen kopen dat niet goed is?'

'Dat zal niet zomaar gebeuren, want het inkoopbeleid is streng. Meneer Van Zanten doet meestal zelf de inkopen, in geval van twijfel raadpleegt hij mij en samen komen we er doorgaans wel uit. Als ik merk dat we een niet-verantwoord boek ingekocht hebben dan overleg ik met mijn baas en sturen we het gewoon terug.'

'Kan dat?'

'Geen probleem, meestal is het vooraf bedongen.'

'En als er klanten komen die een boek willen bestellen dat niet verantwoord is?'

'Dan wordt het moeilijk. In de regel bestellen we gewoon wat ze willen. Je kunt toch niet alles weten en je bent toch niet overal verantwoordelijk voor? We zijn in zo'n geval niet meer dan een doorgeefluik en bovendien gebeurt het maar zelden dat mensen bij ons een onverantwoord boek bestellen. In een enkel geval adviseer ik mensen om naar de algemene boekhandel te gaan.'

'Wanneer bijvoorbeeld?'

'Ja wanneer? O, er kwam pas iemand in de winkel die 'De Da Vinci Code' wilde kopen. Ik had juist ergens een artikel gelezen dat het om een antichristelijk boek gaat en toen heb ik die man vriendelijk gevraagd of hij het boek bij de algemene boekwinkel wilde kopen.'

'Ga je in zo'n geval niet het gesprek aan om die man te overtuigen van het verkeerde van zijn keus?'

'Mijn baas ziet me al aankomen! Ik ben door hem aangenomen om boeken te verkopen, niet om te discussiëren met klanten!'

'Maar klanten mogen toch wel weten wat je mening is?'

'Dat mogen ze zeker wel weten en dat zal ik ze ook wel vertellen als ze er naar vragen, maar ik ga klanten niet ongevraagd met mijn mening lastigvallen.'

'Sjonge, ik dacht dat je anders was. Ik herinner me nog dat we een keer een gesprek over homofilie gevoerd hebben, waarbij je je mening niet onder stoelen of banken stak en dat ging niet alleen om dingen waarnaar gevraagd werd. Ben je zo veranderd?'

'Ik denk niet dat ik zo veranderd ben, maar ik vind het wel belangrijk om je mening niet te pas en te onpas ter sprake te brengen,' zegt Annelies een beetje fel en ze kijkt Harm in de ogen. Eerst dacht ze dat de ruziesfeer van daarnet veroorzaakt was door haar ouders, maar nu begint ze daaraan te twijfelen. Die Harm is een scherpslijper!

Harm schrikt zo te zien een beetje en zegt: 'Kalm maar, je bedoelt zeker dat ik dat met het evangelisatiewerk wel doe?'

'Dat wil ik niet zeggen, ik weet niet eens hoe dat gaat, dus…'

'Ga een keer met me mee, dan weet je hoe het gaat.'

'Nou, nou, je bent wel rechttoe, rechtaan.'

'Wat is daar mis mee?'

'Niets, maar ik moet even aan het idee wennen om op zaterdagavond bij een café rond te hangen.'

'Rondhangen doe ik niet.'

'Aan het eind van de avond zal ik wel zeggen hoe ik erover denk, ik ga nu even naar boven.'

Annelies is blij dat ze de kamer uit is, omdat ze niet goed weet wat ze aanmoet met deze Harm, die zo direct is en botsingen lijkt te veroorzaken, die misschien geen echte botsingen zijn. Terwijl ze op haar bed zit, hoort ze de stemmen in de kamer. Hoe komt het dat ze zo in de war is? vraagt ze zich af. Komt het door Harm of komt het doordat ze hem vergelijkt met Peter of is het gewoon omdat ze moe is?

Harms gezicht boezemde haar vertrouwen in, hij heeft rustige, heldere ogen, maar hij is nog wel erg jong. Zover moet je helemaal niet denken, houdt ze zich voor. Ze voelt niets voor hem en ze zou opnieuw problemen krijgen als ze omgang met hem zou hebben, want hij heeft een veel evangelischer instelling dan Peter en zij. Ze schrikt van de laatste gedachte. Denkt ze echt hetzelfde als Peter?

Als ze een uur later, na wat gelezen te hebben, weer naar beneden gaat, staat Harm met het handvat van de deur in zijn hand, maar zo te zien is hij nog met Wim in gesprek. Die twee kunnen goed samen, merkt ze op. Zodra hij haar ziet, vraagt hij: 'Zeg Annelies, ga je nog een keer mee?'

Ze had al helemaal niet meer aan die vraag gedacht, maar ze is in zoverre hersteld dat ze toch snel een weerwoord heeft: 'Voorlopig niet.'

'Spreken we dan af voor over twee weken?'

'Nou, nou, kalm aan een beetje.'

'Twee weken duurt toch nog een heel tijdje?'

'Wat verwacht je op zo'n avond van me?'

'Je hoeft niets te doen, maar ik hoop dat je je ons gezelschap houdt totdat we naar huis gaan.'

'Ik moet wel op tijd thuis zijn,' zegt ze.

'Natuurlijk, je hebt alle vrijheid. Als je er niets aan vindt mag je ook direct rechtsomkeert maken, ik wil je tot niets verplichten. Dat zeg jij toch ook tegen je klanten?'
'Je hebt goed geluisterd.'
'Is het afgesproken?'
'Ik zal er eens over denken.'
'Daarnet begreep ik dat je op zaterdagavond over twee weken wilt meegaan.'
'Dat maak jij ervan, dat heb ik niet gezegd.'
'Je wilt dus niet?'
'Dat heb ik ook niet gezegd.'
'Kunnen we iets afspreken?'
'Nou ja, laten we het dan maar voor zaterdag over twee weken afspreken, maar verwacht er niets van. Het kan best zijn dat het me niet bevalt en dat ik dan weer gauw terug wil.'
'Natuurlijk mag dat, zoals je wilt. Hoe wil je er heengaan?'
'Met de auto, denk ik.'
'Ik heb geen auto.'
'Dan zou ik er een kopen als ik jou was, ik weet de weg wel, dus ik red me wel.'
Harm heeft geen weerwoord meer.
Als Annelies hem zo ziet staan, krijgt ze een beetje medelijden met hem, terwijl ze het tegelijkertijd prettig vindt dat ze hem blijkbaar aankan.
Op dat moment komt Gert binnen.
'Wat ben je vroeg,' reageert Annelies spontaan.
'Ja, fijn hè, wie heb je daar bij je?'
'Ik heb niemand bij me, ik sta alleen maar te praten met Harm.'
Gert komt dichterbij en bekijkt Harm van top tot teen. 'Volgens mij ken ik jou, als ik me niet vergis zie ik je op zaterdagavond wel eens, maar nooit voor lang.'
'Dat kan ik ook niet helpen,' zegt Harm.
'Dat kan je wel helpen, je hoeft op zaterdagavond niet

te komen. Als ik jou was zou ik de volgende keer gewoon wegblijven, dan zul je eens zien wat je er zelf aan doen kunt.'

Als Harm geen antwoord geeft, neemt Annelies het voor hem op. 'Ik heb juist met Harm afgesproken dat ik een keer met hem meega,' zegt ze, terwijl ze het hart in haar keel voelt kloppen, want ze weet dat ingaan tegen Gert op moeilijkheden kan uitlopen. Het is goed mogelijk dat Gert iets aan haar stem hoort, maar ze kan het niet nalaten om Harm te helpen.

'O, gaat zus evangeliseren, ik heb niet het idee dat ik je daar lang zal zien.'

'Ik zal zelf weten waar ik heen ga,' zegt Annelies, die zich in de verdediging gedrongen voelt. Wie voelt zich bij Gert niet in de verdediging?

'Natuurlijk mag je zelf weten waar je heen gaat maar ik ook.'

'Ik stuur niemand weg.'

'Maar Harm wel, hij vindt het verkeerd dat we naar het café gaan en jij gaat met hem mee, dus...'

'Klopt,' zegt Harm, die het nu voor haar opneemt, 'Annelies gaat met mij mee om te kijken. Ze gaat niet evangeliseren, als je dat soms denkt.'

'Ik denk niet, denken moet je aan een paard overlaten, want die heeft een groter hoofd dan ik en jij samen, maar ik constateerde iets. Jij denkt ook niet, want als je nadacht kwam je op zaterdagvond niet naar het café toe, maar bleef je lekker thuiszitten. Man, heb je niet in de gaten dat iedereen je heel irritant vindt en dat je precies het tegengestelde bereikt van wat je wilt? Je wilt mensen bekeren, maar de mensen worden door jouw opdringerige gedoe absoluut niet anders. Als je dat niet inziet heb je een plaat voor je hoofd.'

'Gert!' roept Annelies.

'Ik zal zelf weten wat ik zeg,' antwoordt Gert, 'het is niet mijn schuld dat sommige mensen een plaat voor hun hoofd hebben en als ik jou was zou ik een beetje oppassen met wie ik omga.'

'Ik wil niet dat je zulke dingen zegt, je moet je fatsoen houden,' roept Annelies, harder dan ze aanvankelijk wilde.

'Je hebt van mij geen last, ik loop wel door,' zegt Gert, terwijl hij langs hen heen de kamer ingaat.

'Sorry Harm,' zegt Wim.

'Ik neem jou niets kwalijk en ik neem hem ook niets kwalijk,' zegt Harm, 'Ik denk dat hij het moeilijk heeft.'

Die laatste opmerking van Harm zet Annelies aan het denken. Ze vraagt zich af of Harm Gert doorheeft, of dat hij zomaar een opmerking maakte die in zijn kring gangbaar is. Het is haar in ieder geval duidelijk dat zijn leefwereld een heel andere is dan die van haar.

8

Harm, Krijn, Roel, Ruud, Elsbeth en Jeannet. Annelies vraagt zich af waar ze terechtgekomen is. Ze zitten met zijn zevenen rondom een tafel in een woonkamer en drinken koffie uit witte plastic bekertjes, waarin ze roeren met een wit plastic roerstaafje. In dit gezelschap zou ze met Peter nooit gekomen zijn. Uiterlijk past hij er niet, omdat het niet in hem op zou komen om een baardje te laten staan, zoals Ruud heeft en hij zou er ook niet zo onverzorgd bij lopen als Krijn doet met zijn vale spijkerbroek en zijn slordige haren. Een van de meisjes is in rok gekomen, de ander heeft een spijkerbroek aan en ook om die reden zou Peter zich niet direct in dit gezelschap begeven hebben.

Wat haar positief stemt is de ernst en de passie waarmee ze praten. Ze hadden om negen uur bij het standbeeld op de markt afgesproken, waar Harm haar al stond op te wachten. Na de begroeting waren ze samen naar het huis van Roel, de man van Jeannet, gegaan. Annelies had hen een hand gegeven, ze keken even op, maar daarna waren ze al gauw weer doorgegaan met hun gesprekken, die haar verbaasden en verwarden tegelijk.

Hier gebeurde iets, waar ze altijd naar verlangd had: spontaan over het christelijk geloof en over Jezus spreken. Tegelijkertijd was er iets in hun gesprekken dat haar afstootte en dat was het gemak waarmee ze over Jezus praatten, alsof Hij hun vriend was. Dat zou niemand in haar gemeente zo doen. Daar voelde je meer de afstand tot God en de heiligheid van Jezus. Hier is Jezus dichtbij, maar wordt Hij niet al te gewoontjes, net alsof Hij er bij zou kunnen zitten en meedenken over hun plannen?

Een aantal is zo te horen onlangs wezen evangeliseren bij een housefeest met een hoge score aan decibels. Ruud heeft het erover dat hij een goed gesprek over Jezus gehad heeft met een jongen die een hanenkam had. Roel vertelt dat hij iemand aansprak die niets met Jezus te maken wilde hebben en die begon te vloeken toen hij hem aansprak voordat hij naar binnenging. Roel had zijn gezicht onthouden en hij stond er weer toen die jongen naar buiten kwam. Toen pakte hij het anders aan, hij vroeg hem of hij genoten had. De jongen herkende hem en begon weer te vloeken, maar omdat Roel niet wegging, kwam er ruimte om over Jezus te praten. Roel wees hem in een paar zinnen op Jezus die echte vreugde geeft en toen was die vent zowaar rustig geworden, had even geluisterd en was daarna met een vriendelijke groet doorgelopen. Nu vindt Roel het jammer dat hij zijn adres niet heeft.

Daarna vertelt hij over een meisje, dat wel zes piercings in haar lichaam had en zwaar opgemaakt was. Hij gaf haar een folder, die ze tot zijn verrassing aannam. Hij was nog meer verrast toen ze die folder ter plekke begon te lezen om hem daarna te bevragen over Jezus. Zijn verhaal komt erop neer dat het uiterlijk niet belangrijk is tijdens het evangeliseren. Annelies bedenkt dat haar vader en moeder het juist heel vaak over het uiterlijk hebben. Zij zeggen dat je christenen herkent aan hun praat, hun gewaad en hun daad.

Annelies vraagt: ‘Nemen ze die folders vaak aan?’

‘Dat niet,’ zegt Harm, ‘de meesten weigeren een folder aan te pakken of ze gooien hem direct weer weg, maar het gaat ook wel eens anders.’

‘O, ik kreeg de indruk dat het allemaal vanzelf gaat.’

De anderen beginnen te lachen. ‘Dat hebben wij niet gezegd,’ zegt Ruud, ‘het gaat beslist niet vanzelf, de meesten willen helemaal niet luisteren, zeker niet als ze naar een housefeest toegaan en hun denkniveau omgekeerd evenredig is met het aantal decibels in de tent. Als ze terugkomen zijn ze vaak rustig en willen ze nog wel eens luisteren, maar dan zijn ze dikwijls zo laveloos van de muziek en de pillen dat het niet eens goed tot hen doordringt wat er gezegd wordt.’

'O,' zegt Annelies, die het even niet begrijpt.

Het gesprek is in iets ander vaarwater terechtgekomen. Jeannet spreekt over de geestelijke krachten die loskomen bij zo'n feest. Ze zegt dat het wel lijkt of de duivel zelf aanwezig is als ze bij een housefeest evangeliseert.

'Je hoeft niet bang te zijn, want de kracht van Jezus is groter,' zegt Harm. 'Hij is de Overwinnaar en Hij gaat met je mee en Hij vertroost je, ook al moet je door een dal van de schaduwen van de dood.'

'Halleluja!' zegt Krijn die tot nu toe nog nauwelijks iets gezegd heeft.

Annelies moet denken aan een Amerikaanse tank in de Tweede Golfoorlog in Irak die rondreed met de tekst van psalm 23. Moet het werkelijk zo?

'Ik zal een stukje uit de Bijbel lezen en daarna zullen we om beurten bidden,' zegt Roel. Mogelijk aangestoken door de woorden die zojuist zijn gesproken leest hij psalm 23, maar niet uit de Statenvertaling.

Een psalm van David.

De HEER is mijn herder,
het ontbreekt mij aan niets.

Hij laat mij rusten in groene weiden
en voert mij naar vredig water,
hij geeft mij nieuwe kracht
en leidt mij langs veilige paden
tot eer van zijn naam.

Al gaat mijn weg
door een donker dal,
ik vrees geen gevaar,
want u bent bij mij,
uw stok en uw staf,
zij geven mij moed.

U nodigt mij aan tafel
voor het oog van de vijand,
u zalft mijn hoofd met olie,
mijn beker vloeit over.

Geluk en genade volgen mij
alle dagen van mijn leven,
ik keer terug in het huis van de HEER
tot in lengte van dagen

Ineens weet ze het: de tekst is uit de Nieuwe Bijbelvertaling, de NBV. Daar is het woord HEER gekozen in plaats van Heere. Ze kan niet direct zeggen wat er verkeerd aan de tekst is, al vindt ze het wel vreemd dat ze die vertaling gebruiken. Harm komt toch ook uit een gezin waar ze de Statenvertaling lezen? Nou ja, een bijbelvertaling is niet het allerbelangrijkste en ze hebben in ieder geval wel eerbied voor het Woord van God.

Na het lezen zegt Roel dat hij zal bidden. Ieder sluit de ogen, terwijl hij bidt om hulp van God en kracht om straks de goede dingen te zeggen. Zodra hij 'amen' gezegd heeft, begint degene die naast hem zit te bidden. Jeannet bidt voor allen die deze avond in de stad naar het café of de disco gaan en het genot zoeken in plaats van God. Na haar 'amen' begint Ruud, die naast haar zit, te bidden.

Ineens krijgt Annelies het benauwd, want het dringt tot haar door dat zij straks aan de beurt is om hardop te bidden en dat kan ze niet. Bij hen thuis bidt haar vader een formuliergebed. Het gebeurt nooit dat de jongens hardop bidden; als haar vader er niet is, bidden en danken ze in stilte. Dat vrouwen hardop bidden is ze al helemaal niet gewend. Het zweet breekt haar uit.

Harm begint te bidden, hij roept de Naam van God aan en vraagt de Heere Jezus om hulp en kracht, daarna noemt hij de namen van hen allen afzonderlijk, terwijl hij er de namen van een aantal mensen die zij niet kent, aan toevoegt. Even later begrijpt zij dat het om voormalige café- en discobezoekers gaat die beloofd hebben om voortaan niet meer te gaan, maar voor wie het misschien wel heel moeilijk is om het vol te houden. Ze perst haar lippen op elkaar, knijpt haar gevouwen handen in haar schoot tot ze de nagels diep in haar vel voelt en zet haar voeten schrap als om op een aanval voorbereid te zijn: na het 'amen' is zij aan de beurt, maar ze doet het niet! Een ogenblik opent ze haar ogen en ze ziet alle ogen in ernst gesloten en ze kijkt naar de deur, als om te ontsnappen. Ze doet het niet!

Ze hoort het 'amen' en voelt het hart in haar keel kloppen. Wat zal er gebeuren als ze tien seconden wacht? Dan moeten ze haar maar naar huis sturen! Waarom heeft Harm haar dit niet verteld?

Het gaat anders, ze hoeft niet te bidden, na enkele seconden begint Krijn te bidden alsof het de gewoonste zaak van de wereld is. Langzaam voelt ze de spanning uit haar lichaam wegebben en ze begrijpt dat ze zich voor niets zo druk heeft gemaakt. Bidden gebeurt om de beurt, begrijpt ze, maar wel op vrijwillige basis.

Als de hele kring rondgebeden is, doet ze haar ogen open. Ze vindt het een beetje gênant om de anderen aan te kijken en ze verwacht dat die hetzelfde gevoel hebben, maar dat is niet het geval, want dadelijk na het 'amen' beginnen Harm en Ruud met elkaar te praten over wat er moet gebeuren. Roel vraagt of ze even stil willen zijn, want hij heeft nog iets te zeggen. Hij vraagt of Harm met Annelies naar de markt voor het café wil gaan, terwijl de anderen bij de disco zullen gaan staan. Halverwege de avond kunnen ze eventueel even terugkomen om op te warmen en wat te drinken.

'Er is nog koffie,' kondigt Jeannet aan, 'wie wil kan gerust nemen, dan zet ik later wel weer nieuwe.'

Harm kijkt even naar haar met de vraag in zijn ogen of zij koffie wil. Annelies schudt bijna onmerkbaar met haar hoofd en dat is voor hem genoeg om op te stappen. Ineens realiseert ze zich dat dit het eerste contact is met Harm na hun binnenkomst.

Een koude wind, die venijnig om de hoek van een gebouw blaast, komt hen tegemoet. Annelies doet de kraag van haar jas omhoog en ze denkt aan die middag enige tijd geleden toen ze samen met Peter liep. Dadelijk duwt ze die gedachte weg, want ze wil niet meer aan Peter denken en ze wil ook niet aan Harm denken. Ze gaat nu evangeliseren bij een café in de stad, waar veel jongeren komen. Ze lopen vanaf het huis naar het marktplein. Ze kijkt eens rond en ziet aan de ene kant van het plein in het licht van een lantaarnpaal de mooie historische kerk, waarvan de deuren gesloten zijn. Aan de andere kant zijn woningen, terwijl de rest van de marktrand vol is met drinkgelegenheden en winkels met verlichte etalages.

In het café waarvoor zij zullen posten is harde muziek, die bij het opengaan van de deur telkens in flarden naar buiten komt waaien en dan door de wind in de lucht wordt verspreid. Het is vrij rustig op het marktplein voor het café, slechts hier en daar lopen wat jongeren.

Harm roept haar. 'We zijn aan het bespreken wat we gaan doen, doe je ook mee?'

'Ja natuurlijk,' zegt Annelies.

Ze had blijkbaar even niet goed opgelet. 'Jij bent er al meer bij geweest Ruud, maar de anderen nog niet, daarom eerst dit: ga niet al te dicht bij de ingang van het café staan, dat kan irritatie opwekken bij de gasten of bij de eigenaar van het café. We gaan niet naar binnen, want dan krijgen we problemen. Dat hebben anderen vroeger al eens gehad en dat willen wij niet, want dan verbieden ze ons de volgende keer alles.'

'Ze kunnen ons niets verbieden,' komt de rustige stem van Ruud.

'Daar heb je gelijk in, maar we moeten ons wel netjes gedragen en we moeten altijd beleefd zijn, zodat we iets uitstralen van Jezus.'

Annelies zegt niets, ze vindt het wel vreemd dat ze niet naar binnen gaan, terwijl ze het tegelijkertijd gelukkig vindt, want binnen zou ze zich niet op haar gemak voelen, omdat ze die muziek niet kan verdragen.

Als de anderen vertrokken zijn blijft Annelies bij Harm staan, die de eerste de beste bezoekers, twee jongens die recht op de deur van het café afstevenen, aanklampt met de vraag: 'Ken jij Jezus al?'

'Rot op, wat kan mij Jezus schelen,' krijgt hij te horen.

'Zulke antwoorden krijg ik wel vaker,' zegt Harm tegen Annelies als de bezoekers binnen zijn, 'sommigen zijn erg grof in de mond, vooral als je hen wat over Jezus wilt zeggen.'

Annelies vraagt zich af of ze op deze manier wel goed bezig zijn, want de methode doet haar denken aan verkopers van hypotheken die op de meest ongelegen momenten bellen om mensen een hypotheek op te dringen.

Als Harm een keer of vijf zijn neus gestoten heeft, trekt ze hem aan zijn mouw en zegt zachtjes: 'Joh, zou je dat niet anders doen?'

'Waarom, zo doe ik het altijd,' zegt hij, een beetje geïrriteerd.

'Nou, ik denk dat het zo niet veel helpt, je jaagt op deze manier alleen de mensen maar tegen je in het harnas en je schiet er niets mee op.'

'Het gaat er niet om of we er wat mee opschieten, het gaat erom of we Jezus volgen en doen wat Hij zegt.'

'Dat kan wel waar zijn,' zegt ze een beetje bits, 'maar je moet wel het juiste woord op het juiste moment op de juiste plaats weten te zeggen. Ik denk dat de Bijbel ook wat zegt over een woord op zijn tijd.'

'Paulus had ook de moed om van Jezus te getuigen in een heidense wereld.'

'Maar die gebruikte zijn verstand wel, hij wist in Athene goed waarover hij sprak.'

'Net of ik dat niet doe!'

'Dat wil ik niet zeggen, maar ik zie hier wel dingen fout gaan.'

'Fout, fout, wat is fout? Als mensen niet willen luisteren kun je niet zeggen dat er dingen fout gaan.'

'Nee, je pakt het verkeerd aan.'

'O, en wat doe ik dan verkeerd?'

'Nou, je spreekt jongeren aan, die daar absoluut niet van gediend zijn.'

'Van al die jongeren die daarheen gaan is niemand van het Evangelie gediend. Ik hoop hen te raken, zodat ze gaan nadenken. Je moet echt niet denken dat ze meteen tot bekering komen en Jezus willen volgen, het is meer een bewustwording, een proces.'

'Ja maar, je moet wel kijken wie je aanspreekt.'

'Zeg jij dan maar hoe ik het moet doen, jij hebt er verstand van,' merkt Harm schamper op.

'Joh, praat niet zo hard, de anderen hoeven ons niet te horen.'

'Nou, hoe wil jij het dan aanpakken?'

'Ik zeg niet dat ik het weet, maar volgens mij moet je kijken wie je voor je hebt en niet zomaar iedere willekeurige voorbijganger aanspreken. Ik denk dat je alleen maar mensen moet aanspreken die naar je kijken; als ze naar de grond kijken zodra je begint te praten, weet je dat je moet stoppen.'

'Ik denk dat je dan weinig succes zult hebben en ik voel er ook niets voor, maar voor jou wil ik het wel doen.'

'Je hoeft het niet voor mij te doen.'

'Nou ja, we kunnen het proberen.'

Het blijkt dat de manier van Annelies ook niet werkt. Ze gaan op een opvallende plaats in de looprichting van het café naar de disco staan en pas als ze merken dat er jongeren aankomen die naar hen kijken, doen ze een stap naar voren en begint Harm te praten. Annelies is blij dat Harm het doet. Ze had wel d'r woordje klaar over hoe het moest, maar ze ziet er zelf erg tegenop om zomaar mensen aan te spreken. Het is heel anders dan klanten helpen in een boekwinkel, die je hulp juist op prijs stellen. Annelies bewondert Harm die zonder aarzelen naar de groepen jongeren toe stapt en ondanks teleurstellende ervaringen toch telkens zijn verhaal blijft doen.

Hij heeft een bijzondere gedrevenheid en in de loop van de avond krijgt Annelies steeds meer bewondering voor hem. Hij noemde daarstraks de naam Paulus en onwillekeurig moet Annelies aan deze apostel denken als ze Harm hoort.

Daar komt weer een gemengd groepje van een stuk of zes jongeren, dat er niet negatief uitziet. Harm doet een stap naar voren en de voorste houdt welwillend zijn pas in.

'Geloof je in God?' vraagt Harm.

'O jawel, jij ook?'

'Jazeker, maar mag ik vragen waarom jullie dan nu naar het café gaan?'

'Om te drinken natuurlijk en voor de gezelligheid,' antwoordt de jongeman verwonderd.

'Gaan jullie morgen ook naar de kerk?'

De woorden 'ja' en 'nee' klinken beide in de groep.

'Wat vind je belangrijker?'

'Even belangrijk, vanavond hebben we een gezellige avond en morgen gaan we naar de kerk. Je hoeft niet altijd over het geloof te praten.'

'En als er vanavond iets ergs gebeurt?'

'Tja, dat kan ik ook niet helpen, maar hoe bedoel je dat?'

'Nou, ik bedoel: 'Kun je voor God verschijnen als je vanavond sterft?'

'Ik snap het probleem niet, want het maakt toch niet zo veel verschil of je vanavond sterft of morgenavond na de kerkdienst?'

'Het gaat erom of je je hart aan Jezus gegeven hebt.'

'Hallo,' zegt een meisje uit de groep, terwijl ze naar voren komt, 'ik wil verder, deze discussie dient nergens toe. Gaan jullie mee?'

Daarop lopen ze allen langs Harm en Annelies heen naar het café, waarin ze even later verdwijnen.

Annelies voelt zich geïrriteerd, maar ze weet zelf niet waardoor het komt. Komt het omdat ze de vrijmoedigheid van Harm niet waardeert of omdat ze niet tegen de reacties van de bezoekers kan of omdat ze zichzelf flauw vindt omdat ze er alleen maar bijstaat en niets zegt?

Als het even rustig is, zegt ze tegen Harm: 'Het valt niet mee, joh.'

'Ja, het gaat hier heel anders dan met een leeftijdgenoot die ging evangeliseren bij een disco ergens in het westen van het land. Hij ging gewoon buiten op de stoep bij de disco hardop in de bijbel lezen. Eerst kwamen er een paar uitsmijters naar buiten die hem vroegen of hij weg wilde gaan, maar toen hij zei dat Nederland een vrij land is, waarin niemand weggejaagd mag worden van de openbare weg, lieten ze hem met rust. Het duurde niet lang of er kwamen meer jongeren om hem heen staan en hij kreeg vanzelf gesprekken, waarvan er verschillende resulteerden in bekeringen. Hier zijn de jongeren toch anders, ze zijn niet onwelwillend, tenminste de meesten niet, maar ze gaan geen serieuze gesprekken met je aan. Misschien helpt het als jij eens wat zegt, je hebt nogal een knap gezicht.'

Annelies voelt dat ze bloost en ze zegt: 'Zou dat helpen?'

'Bij een aantal jongens misschien wel.'

'Maar ik weet helemaal niet wat ik zeggen moet.'

'Gewoon beginnen, dat heb ik ook gedaan, als je het nu niet durft, durf je het over een jaar nog niet, is de algemene ervaring.'

'Maar wat moet ik dan tegen die lui zeggen?'

'Annelies, hoe heb ik het nu met jou?' vraagt Harm verwonderd, 'jij wist het net zo goed en nu weet je niet wat te zeggen. Je begint gewoon en het gesprek gaat vanzelf.'

Annelies voelt een soort paniek opkomen, ze schudt haar hoofd en zegt: 'Ik doe het niet!'

'Misschien kun je bijspringen als ik met een gesprek bezig ben.'

'We zullen wel zien.'

Annelies kan zichzelf wel een klap voor haar hoofd geven na dit korte gesprek met Harm. Zij weet zo goed hoe het niet moet, maar als ze het zelf moet doen, durft ze niet. Of wil ze het niet, omdat ze mensen niet een oppervlakkig Jezusgeloof wil aanpraten? Ze heeft immers thuis geleerd dat geloven heel wat anders is dan zelf Jezus aannemen en Jezus volgen, omdat Jezus jou eerst moet vinden, voordat je Hem kunt volgen. Ondanks de kou breekt het zweet haar uit.

Even later komen er twee meisjes aanlopen met de armen over elkaars schouder. Ze voelt dat dit het moment is voor haar, anders zal ze blijven aarzelen. Ze bijt op haar lippen en doet dan een stap naar voren en zegt tegen hen: 'Jullie hebben veel plezier.'

'Jazeker,' zeggen de meisjes.

'Hebben jullie ook vrede in je hart?'

De meisjes kijken elkaar verbaasd aan en kijken dan naar Annelies. 'Hoe bedoel je?' vraagt de kleinste van de twee.

'Nou, net zoals ik het zeg: je kunt heel veel drinken en een avondje blij zijn, maar dan voel je je intussen misschien toch heel ongelukkig. Echte vrede is iets heel anders.'

'Angenie, herken jij dat?'

'Ik niet, laten we doorlopen, zeg, we zijn niet gekomen voor een moeilijk gesprek.'

'Nou doei, prettige avond.'

Als de meisjes verdwenen zijn, zegt Harm: 'Ik dacht dat jij niet durfde en je begint zomaar te praten!'

'Ja, zo zit ik misschien wel in elkaar.'

'Maar het lukte jou ook niet om tot een goed gesprek te komen.'

'Nee, ik dacht dat het wel zou gaan, omdat ik in de boekwinkel ook gemakkelijk met mensen in gesprek kom, maar hier is het toch anders.'

Annelies haalt haar schouders op, omdat ze het zelf niet begrijpt. Het ging eigenlijk vanzelf, merkt ze nu.

Gesterkt door haar ervaring met de meisjes stapt ze even later op een groepje jongens af en begint ze op dezelfde manier. 'Jullie hebben veel plezier.' Ze ziet de ogen van de jongens op zich gevestigd en ze is er zich van bewust dat ze een bepaalde aantrekkingskracht op hen heeft.

'Ja zus, mogen we aan het eind van de week?' zegt de voorste van hen, een vent die zeker een meter negentig lang is.

'Weten jullie hoe je de allergrootste blijdschap kunt krijgen?'

'Ja, troela, door heeeeel veel biertjes te drinken en dan... met jou...' Ondertussen kijkt hij haar aan op een manier die niets te raden overlaat.

Annelies, die schrikt van zijn gezicht, kijkt opzij naar Harm, die onmiddellijk naast haar staat en zegt: 'Ze bedoelt iets anders.'

'O, bedoelt ze iets anders, en weet jij wat ze bedoelt?'

'Jazeker, wie in Jezus gelooft, ontvangt de allergrootste blijdschap, dat staat in de Bijbel.'

'En dat moeten wij maar geloven?'

'Ik geloof het ook.'

'Dat jij niet wijzer bent, moet je zelf weten, maar mij krijg je zo gek niet, wat vinden jullie ervan?'

'Ik vind dat we beter een biertje kunnen vatten, dan hebben we meer plezier.'

'Dag schatje.' De lange vent wil een arm om Annelies heen slaan, maar ze weet juist op tijd weg te duiken.

Annelies draait zich om en kijkt de groep niet na. Ze voelt zich gekwetst en dat zegt ze ook tegen Harm. 'Joh, ik wist niet dat ze zo grof kunnen doen.'

'Ik denk dat het komt omdat er een knap meisje voor hen stond en ze al wat bier op hebben, waardoor ze niet meer zo goed weten wat ze zeggen, ik vond het ook vervelend. Het akelige is dat het bijna nooit lukt om tot een goed gesprek te komen als ze zo beginnen.'

'Wat denken die lui wel van me?'

'Ze denken niets van jou, ze maakten alleen grove grappen.'

'Ik doe het niet meer, dit is geen werk voor mij!'

'Meen je dat?'

'Ja.'

'Wil je er nu direct mee stoppen?'

'Liever wel.'

'We kunnen even naar binnen gaan en wat drinken, dan kunnen we daarna verder zien.'

'Goed dan,' zegt Annelies, die mistroostig met Harm meeloopt en de koude wind weer voelt. Ze vraagt zich af waarom ze is meegegaan.

Gelukkig kan ze binnen bijkomen onder het genot van een kop koffie en ze plaatst haar verkleumde handen voorzichtig om het plastic bekertje. Jeannet, die gebleven is, vraagt hoe het haar bevallen is. 'Eigenlijk hoef ik het niet te vragen,' voegt ze eraan toe, 'ik zie aan je gezicht, dat het niet meegevallen is.'

'Vind je het gek?' valt Annelies uit. 'Die jongelui willen helemaal niets van de Bijbel horen, ze komen hier alleen maar voor een avondje uit en ze willen helemaal nergens over nadenken. Is het hier wel de goede plaats? Je moet evangeliseren op plekken waar de mensen open staan voor het evangelie.'

'Dacht je dat zendelingen altijd op plaatsen komen, waar de mensen het evangelie willen horen?'

'Misschien eerst niet, maar later wel.'

'Ja, en weet jij wanneer dat eerst en later precies is? Ik heb eens gehoord van een land waar tientallen jaren een zendeling werkte die geen enkele bekeerling maakte en toch hield hij vol, omdat hij vast geloofde door God gestuurd te zijn. Toen hij stierf, was er nog niemand tot geloof gekomen, maar toen zijn opvolger kwam, ging het ineens vanzelf. De mensen kenden de vorige zendeling nog en ze vonden hem een goede man, die ze op de een of andere manier vertrouwden en zo gingen de mensen over tot het christelijk geloof. Het klinkt misschien ongelooflijk, maar het is waar gebeurd.'

'Wil je zeggen dat...?'

'Misschien wel, wie zal het zeggen.'

'Ik begrijp het niet, jullie zeggen toch dat de mensen moeten kiezen voor Jezus, waarom ga je dan niet naar mensen toe die wel "ja" zeggen?'

Harm haalt zijn schouders op, Jeannet zegt: 'Dat heeft er niets mee te maken. Jezus heeft ons geroepen om hier actief te zijn. Wij moeten Zijn voetstappen drukken en doen zoals Hij deed. Hij heeft tijdens Zijn leven ook niet zo veel resultaat gezien, de oogst kwam pas later.'

'Jullie menen dus dat jullie hier geroepen zijn?'

'Jazeker,' zegt Harm, 'er gaan hier veel kerkelijke jongeren naar het café en als we er niet op tijd bij zijn, gaan ze van de kerk af. Wij proberen hen nu te bereiken voor ze de definitieve keuze gemaakt hebben om te breken met de kerk. Het kan ogenschijnlijk wel niets opleveren wat wij doen, maar intussen kan het toch zo zijn dat er woorden in hun hart komen die op Gods tijd weer naar boven komen. Wil je nog blijven of ga je liever naar huis? Ik wil je echt niets opleggen.'

'Hoe lang sta je er nog?'

'Een half uur misschien.'

'Oké, ik ga wel mee.'

'Als je dit werk doet, moet je niet al te resultaatgericht zijn,' zegt Jeannet.

'Ik vind het echt moeilijk,' zegt Annelies met een zucht.

Zonder verwachtingen loopt ze even later weer mee met Harm. Intussen denkt ze wel na over het verhaal van de zendeling, die zijn hele leven geen bekeerling zag. Is zij misschien zo modern dat ze direct resultaat wil zien, net zoals de meeste mensen in deze maatschappij?

De muziek in het café is nu harder en sneller, een geluid

waardoor Annelies al geïrriteerd raakt als ze aankomt.

Over het plein komt een groepje jongeren, twee meisjes en drie jongens, aanslenteren. 'Jongens, wat gaan jullie doen?' vraagt Harm, die zijn oude methode weer opgepikt heeft.

'Drie keer raden,' zegt de voorste jongen.

'Ik denk van bier drinken.'

'Mis en schiet een beetje op, want we hebben nog meer te doen.'

'Denk er in ieder geval aan om op tijd naar huis te gaan, want volgens mij zijn jullie kerkelijke jongeren die morgenvroeg in de kerk verwacht worden.'

'Dat maken we zelf wel uit,' mengt een meisje met halflang haar en zwaar opgemaakte ogen zich in het gesprek. 'Hallo, jij gaat niet uitmaken wat goed voor ons is. Kom, we gaan verder.' Zonder zich nog iets van Harm en Annelies aan te trekken, slentert de groep door.

'Nou, nou,' zegt ze zachtjes tegen Harm, 'je had bijna ruzie.'

'Het scheelde niet veel,' geeft Harm toe, 'en dan te bedenken dat die lui mij kennen van de kerk!'

Een volgend groepje jongens en meisjes maakt veel lawaai. Annelies kijkt een keer naar Harm om te weten te komen wat hij wil doen. Hij schudt zijn hoofd als teken dat hij deze groep niet wil aanspreken. Annelies is er blij om, omdat ze weet dat het vragen om moeilijkheden is als je een luidruchtige groep jongeren aanspreekt.

Even later komen er twee opzichtig opgemaakte meisjes aan waar Harm wel op afstapt. Annelies loopt mee ondanks de reserves die ze voelt.

'Wat gaan jullie doen?' vraagt Harm.

De voorste van de meisjes kijkt verbaasd naar hen en zegt dan: 'Beetje praten, beetje drinken, beetje dit, beetje dat.'

'Vind je dat niet leeg?'

'Weet ik niet, wat is leeg, het glas is leeg, ik weet niet wat je bedoelt.'

'Wil je niet liever je hart aan Jezus geven en een zinvol leven hebben?'

'O, ben jij een Jezusfreak? Van mij mag je hoor, maar ik houd meer van een beetje vertier dan in de kerk zitten en de Bijbel lezen en zo, maar als jij dat leuk vindt, even goede vrienden.'

Het meisje dat naast haar staat, trekt aan de mouw van haar jas en zegt: 'Zullen we?'

'Ja, doeg hoor, succes met je werk.'

Annelies moet een beetje in zichzelf lachen om het meisje dat zover afstaat van het christelijk geloof.

'Hoe vond je hen?' vraagt Harm.

'Nou, zulke lui bereik je helemaal niet.'

'Nee, maar ze waren wel aardig.'

'O ja, mensen die nergens aan doen, zijn vaak vriendelijker dan kerkelijke jongeren, want die worden natuurlijk in hun geweten geraakt als ze de naam van Jezus horen, terwijl ze uit hun dak willen gaan.'

'Hé, wat staan jullie hier?'

Annelies registreert ineens een bekende stem: Gert! Er gaat een alarmbelletje bij haar rinkelen.

'Hé Gert, jij ook hier?' reageert ze.

'Zoals je ziet, dat is zo vreemd niet, het is vreemder dat jullie hier zijn. Ben je van gedachten veranderd of komt het door die jongen van je? Wie heb je daar bij je?'

'Dat is geen jongen van me,' zegt Annelies een beetje gepikeerd.

'Waarom zijn jullie dan met z'n tweeën?'

'Dat moeten we toch zelf weten?'

'Ik mag toch ook zelf weten wat ik vraag? Ik snap niet dat ik jou hier aantref en waar is Peter? Ik had altijd gedacht dat jullie een hecht stel waren en dat je, als je toch een ander zou nemen, iemand zou kiezen die niet naar een café zou gaan. Zeg lui, zal ik trakteren op de verkering?'

'Nee, Gert ik heb echt geen verkering.'

'Maar waarom staan jullie hier dan samen?'

'Wij evangeliseren,' zegt Harm. Nu pas neemt Gert Harm goed op.

'O, meneer evangeliseert! Wacht even, nou heb ik beet, ik heb jou hier meer zien staan, jij bent dat ventje dat zegt dat de mensen geen biertje mogen drinken.'

'Nee, dat doe ik niet, ik zeg dat ze beter Jezus kunnen volgen dan in het café zitten.'

'O, vind... jij... dat?' zegt Gert met nadruk op elk woord.

'Ja, eh, dat vind ik!'

'Is er wat tegen een biertje drinken?'

'Nou, er is niets tegen een biertje, maar wel als je hier een avond gaat zitten drinken en dan dronken wordt en te laat thuis komt.'

'Ik word niet dronken en ik kom niet te laat thuis, maar wie maakt dat allemaal uit? Zeg kerel, weet je wat jij eens moet doen?'

'Nou?'

'Je vrome fratsen laten varen en gewoon doen! Man, al die jongens en meisjes werken de hele week hard en dan gaan ze op zaterdagavond wat drinken en dan komt meneer hier met zijn opgeheven vingertje vertellen hoe het moet! Denk jij dat het werkt? Geloof je werkelijk dat ze te veel drinken? Je moet maar eens iemand aanwijzen die vanavond dronken wordt of weet je niet eens hoe die er uitziet? Ik denk dat je beter in de zending kunt gaan werken of in Amsterdam.'

'Gert, je weet zelf ook best dat jongeren regelmatig te laat thuis komen,' mengt Annelies zich in het gesprek.

'O, moet jij je ermee bemoeien? Wat noem je te laat?'

'Als ze om één uur 's nachts thuiskomen dan vind ik dat laat.'

'Noem je dat laat, ik zou het liever vroeg willen noemen!'

'Je weet best wat ik bedoel, ik bedoel dat ze voor twaalf uur thuis moeten komen en dat doen veel jongeren gewoon niet.'

'Vind je het gek?'

'Jazeker.'

'Er staat toch nergens in de Bijbel dat je om twaalf uur thuis moet komen? Er staat zelfs niet eens in hoe laat de zondag begint. Volgens mij begint de zondag als de kerkklok luidt.'

'Gert! Je weet zelf wel beter!'

'Vrome farizeeërs!'

'Gert, je mag niet alles zeggen!'

'Jullie wel zeker? Luitjes, ik krijg het koud, ik ga nu naar binnen, want ik wil nog wat lol hebben voor de kerkklok luidt.'

Annelies blijft stokstijf staan totdat haar broer door de cafédeur naar binnen gegaan is. Het gesprek heeft haar geschokt. Gert wordt steeds grover! Thuis zegt hij deze dingen niet, maar waarschijnlijk is hij door de alcohol opener geworden en zegt hij gewoon alles wat hem voor de mond komt.

'Leuke broer heb jij, dan is Wim wel heel anders.'

'Die ging vroeger met hem mee.'

'Dat weet ik, hoewel ik het me haast niet kan voorstellen. Ik voer met Wim vaak heel goede gesprekken, dan is hij echt veranderd na het ongeluk. Zeg, weet jij waar hij nu is?'

'Hij zal wel thuis zitten, hij is doorgaans op zaterdagavond thuis. Harm, als je het niet erg vindt, ga ik ook naar huis, ik sta gewoon te trillen op mijn benen door dat gesprek met Gert.'

'Ik kan het me voorstellen,' zegt Harm. 'Zal ik met je meelopen naar de auto?'

'Nee, dat hoeft niet.'

Desondanks loopt Harm met haar mee naar de parkeerplaats. Als ze vlakbij de auto zijn, krijgt zijn gezicht een vragende uitdrukking, ziet Annelies en ze weet hoe het komt. Terwijl ze de deur van haar Corsa opent, vraagt Harm met een stem waarin ze de spanning kan horen of ze nog een keer mee wil.

'Harm, ik vind het prima dat jij het doet, maar ik geloof dat dit niets voor mij is.'

'Misschien moet je dan juist nog een keer meegaan.'
'Nee Harm, ik doe het niet.'
Annelies leest de wanhoop op het gezicht van Harm en krijgt medelijden met hem.
Hij gooit het over een andere boeg. 'Op zaterdagmorgen staan we met een kraam op de markt en dan proberen we bijbels en ander evangelisatiemateriaal aan de man te brengen en gesprekken aan te knopen met voorbijgangers. Sommige materialen zijn gratis, maar er zijn ook bijbels en boeken te koop die de mensen gewoon moeten betalen, net zoals in de boekwinkel. Daar is altijd een heel andere sfeer, veel gezelliger en ik kan me voorstellen dat je je daar meer op je gemak voelt.'
Annelies blijft even naast de open autodeur staan. 'Ik moet er nu even niet aan denken en bovendien moet ik op zaterdag werken, maar weet je wat: je stuurt een mailtje, dan kan ik alsnog beslissen of ik al dan niet mee ga.'
'Akkoord, ik stuur je een mailtje en dan zien we wel.'
Voordat Annelies het portier dichtdoet kijkt ze nog even naar Harm en ze voelt het medelijden weer. Zijn bedoelingen zijn zo overduidelijk. Ze vindt het geweldig dat iemand zo rechtlijnig is, je weet precies wat je aan hem hebt, maar ze wil geen verwachtingen wekken. 'Dag Harm.'
'Dag Annelies,' het klinkt als een schreeuw.
Als ze wegrijdt heeft ze een leeg gevoel. Het was een verloren avond, er was niets leuks aan en dan die akelige ontmoeting met Gert en die smekende blik van Harm aan het eind!
Terwijl de auto zijn weg zoekt door het donker van de avond, realiseert ze zich dat ze Harm niet moet vergelijken met Peter. Kan het niet zo zijn dat een vriendschappelijke verhouding kan uitgroeien tot een gezonde relatie? Zij is gauw emotioneel en spontaan en die eigenschappen hebben ook zijn nadelen, zo is gebleken. Misschien is het goed dat ze een aantal keren met Harm meegaat om te zien of er zich langzamerhand iets meer dan vriendschap kan ontwik-

kelen. Het zou haar misschien juist evenwichtiger kunnen maken, want ze moet erkennen dat Harm dingen heeft waarop ze jaloers is: zijn moed en zijn sterke geloof. Laat ze eerst het mailtje van Harm maar eens afwachten voordat ze beslist. Het zal de komende weken niet zo'n probleem zijn op zaterdag vrij te krijgen, omdat de dochter van de baas, die nog op school zit, graag op zaterdag wil werken. Bovendien geeft het haar misschien wel bevrediging om op de markt te staan met evangelisatiemateriaal.

9

Vrolijk strooien de torenklokken hun melodieën uit over het stadje. De zon werkt ook mee en zo komen de mensen vanzelf in een goede stemming. Op de markt staan de kramen met groenten en fruit, vis en kleding, aardewerk en porselein, boeken en cd's en... de bijbelkraam.

Op de planken liggen bijbels, bijbelgedeelten en godsdienstige traktaten. Annelies, die met Harm en nog een paar anderen bij de kraam staat, merkt dat dit inderdaad heel iets anders is dan straatevangelisatie bij een café. Komt het door het carillon of door de vrolijke zonnestralen die alles in gloed zetten of door de mensen die in een goed humeur zijn of komt het gewoon omdat ze nu met boeken bezig is? Wat maakt het uit, het is een goede morgen. Haar blik glijdt over de honderden jaren oude toren met zijn leien dak en ze voelt zich tevreden.

Toen ze met Harm op het marktplein aankwam, heeft ze eerst geholpen met het inrichten van de kraam. Haar ervaring in de boekwinkel kwam haar goed van pas, want de anderen stelden haar adviezen echt op prijs. Daarna ging ze een eindje van de kraam staan om te keuren. Ze lacht naar Harm en hij lacht terug met zijn witte tanden bloot. Harm is een goede vent en ze is blij dat ze ervoor gekozen heeft om mee te gaan.

Ze had hem na die bewuste zaterdag niet dadelijk meer ontmoet, wel kwam er al spoedig een mailtje waarin Harm haar vroeg om mee te gaan evangeliseren op de markt. Ze was wel bang dat ze mogelijk bij Harm verwachtingen zou wekken die ze niet kan waarmaken, maar toch heeft ze niet 'nee' durven zeggen. Het lijkt haar goed om dit werk te doen, ze mag Harm graag en misschien gaat ze wel wat voor hem voelen na een paar ontmoetingen. Dat hoor je wel meer. Ze kent de geschiedenis van een vriendin die een jaar lang met een mannelijke collega gewerkt had en toen ineens verliefd werd. Met hem was hetzelfde aan de hand en de twee zijn gelukkig getrouwd. Ze vraagt zich af of ze hoopt dat ze gauw verkering krijgt. Aan de ene kant wel, want dan zal haar leven niet meer zo leeg zijn. Ze kan niet ontkennen dat ze zich de laatste tijd niet prettig voelt. Aan de andere kant beseft ze dat je beter je vrijheid kunt hebben dan een relatie die maar zo-zo is. Ze zal gewoon kijken hoe het gaat.

Er lopen allerlei soorten mensen op het marktplein, zowel ouderen als jongeren en gezinnen met kinderen. Voorlopig staan zij en Harm achter de kraam, voornamelijk om te verkopen, terwijl Linda en Johanna, twee jonge vrouwen, voor de kraam staan om gesprekken met mensen aan te knopen. Af en toe wisselt ze een paar woorden over de boeken of over de mensen met Harm die aan de andere kant van de kraam staat, maar de meeste tijd wordt er weinig gezegd tussen hen en richt ze haar aandacht op de mensen op de markt en schat ze voor zichzelf in wie stil zullen blijven staan om de spullen van de kraam te bekijken.

Een wat ouder echtpaar loopt voorbij en kijkt terloops naar wat er ligt. Annelies weet niet of ze hen zal aanspreken of niet. In de winkel doe je dat niet, omdat je de mensen niet voor de voeten wilt lopen, maar geldt dat ook voor een evangelisatiekraam? Net voordat ze voorbij zijn, vraagt Harm: ‘Meneer en mevrouw, kan ik u ergens mee van dienst zijn?’

‘Nee hoor,’ lacht de meneer, terwijl hij iets sneller gaat lopen, ‘we liepen zomaar even langs.’ Dan zijn ze weer voorbij en wachten Harm en Annelies op de volgende klant. Een nette vrouw van middelbare leeftijd, zo te zien een kerkelijk persoon, loopt langs hun kraam en draait haar gezicht om als Annelies haar wil aanspreken. Waarom deed ze dat?

Ze vraagt: ‘Mevrouw, kan ik u ergens mee van dienst zijn?’

'Nee, ik heb het al gezien, jullie verkopen ook de nieuwe vertaling.'

'Wij hebben zowel de oude als de nieuwe vertaling.'

'Die kunnen niet naast elkaar op één tafel liggen, de waarheid en de leugen horen niet bij elkaar,' zegt ze en ze loopt vlug door, net alsof ze besmet zou kunnen worden.

Proberen ze niet-christelijke mensen te bereiken en dan komt er commentaar uit de christelijke hoek! Zo iemand snapt niet dat een onkerkelijk iemand de oude vertaling niet begrijpt. Harm had nog wel gezegd dat hij blij was dat dankzij zijn inspanning op de kraam ook de oude vertaling aanwezig is!

Een kwartier lang is er niemand die interesse heeft voor hun kraam, hoewel Linda en Johanna regelmatig mensen aanklampen. Wacht, daar komt een moeder met een klein meisje, dat belangstellend naar de spullen kijkt. 'Ik wil een boekje,' zegt het kind.

'Hebt u een boekje met plaatjes of met kleurplaten voor mijn dochter?' vraagt de mevrouw.

'Jawel mevrouw, kijk we hebben een prentenboek over Noach die een ark moest bouwen van God, met heel mooie platen,' zegt Harm.

'Laat u dat maar eens zien.'

'Alstublieft.'

'Ja, dat boekje is wel goed, dan heeft ze wat te kijken.'

De mevrouw betaalt het boekje en de twee lopen weer verder.

'Het loopt niet hard,' zegt Harm

'Nee, die twee lopen harder,' grapt Annelies.

Linda en Johanna komen even kijken hoeveel er verkocht of weggegeven is. 'Wij hebben wel een aantal goede gesprekken met mensen gehad,' zegt Johanna, 'jammer dat er zo weinig verkocht wordt, misschien kunnen jullie het beste ook voor de kraam komen staan, dan loop je even terug als je iets verkoopt.'

'Dat lijkt me een goed idee,' zegt Annelies, 'want hier achter de kraam voel ik me zo nutteloos.'

Het werkt, omdat ze nu niet hoeven te wachten tot mensen langslopen. Ze kunnen nu mensen aanspreken die bij de naastgelegen boekenkraam staan te kijken of naar mensen toelopen die naar de kraam met porselein en aardewerk komen.

Nu is zij Harm de baas, ze pikt de mensen er zo uit die belangstelling voor hun kraam lijken te hebben. Er zijn nogal wat mensen die echt geen belangstelling hebben, maar dat zie je zo en die spreken ze niet aan. Je moet er op het goede moment bij zijn als mensen aarzelend naar de kraam kijken.

Zoals dat jonge, moderne stel, hij met lang haar en zij met kort haar, dat nogal klef tegen elkaar aan loopt en een enkele blik werpt op de bijbelkraam. Op dat ogenblik vraagt Annelies: 'Kan ik jullie ergens mee van dienst zijn?'

'Ja, misschien wel,' zegt de jongeman, 'wij zoeken een bijbel om op de hoogte te zijn van ons cultureel erfgoed en ik zie dat jullie die hebben.'

'Ik zal wel even aanwijzen wat we hier hebben,' zegt Annelies en ze loopt met de twee mee naar de kraam. Even later heeft ze hen een NBV verkocht. Ze moet nog even denken aan die mevrouw die meende dat de NBV niet goed was. Die vertaling zal misschien niet zo goed zijn als de oude, maar je kunt zulke moderne mensen toch geen oude vertaling geven? Een bijbel in de nieuwe vertaling is in ieder geval beter dan een boek van Jan Wolkers of een andere moderne schrijver.

Er komt een knappe jongeman aan in een lange lichtbruine jas, die ze niet goed kan inschatten. Laat ze hem maar aanspreken, want niet geschoten is altijd mis. 'Meneer, hebt u belangstelling voor een bijbel?'

'Ik wil niet dat je me daarmee lastig valt,' zegt de jongeheer op nogal boze toon.

'Het was niet mijn bedoeling u lastig te vallen.'

'Nee, dat zal wel niet, dat zeggen die mensen die je 's avonds ongevraagd bellen ook altijd, maar intussen doen ze het toch maar, zulke hypocrieten. Ik wil zelf uitmaken wat ik koop!'

'Natuurlijk meneer, dat is uw goed recht, dag meneer.'

Weg is de jongeman en Annelies beseft dat voor de kraam staan niet altijd gemakkelijk is, maar ze voelt zich niet zo opgelaten als toen bij het café.

'Hebt u belangstelling voor een bijbel?' vraagt Annelies aan een jonge vrouw die net achter die man loopt.

'Nee, dat niet, toen ik jong was, las ik wel in de bijbel, maar de tijden zijn veranderd. Er gebeuren zulke verschrikkelijke dingen in deze wereld, denk alleen maar aan de tsunami, die zoveel duizenden mensen van het leven beroofd heeft, dat ik niet geloof in een God van liefde. Ik zie elke dag op de televisie zoveel beelden van verschrikkelijke dingen over aanslagen, honger en oorlog, dat ik het te eenvoudig vind om alles op het bordje van God te schuiven. Wij mensen hebben er een puinhoop van gemaakt en we moeten er zelf mee klaarkomen.'

'Dat zegt u goed, mevrouw,' zegt Harm, die er bij komt staan, 'de mensen hebben er een puinhoop van gemaakt, dat heeft God niet gedaan.'

'En wil jij zeggen dat de mensen de tsunami veroorzaakt hebben? God heeft er net zo goed een puinhoop van gemaakt als de mensen en dan hoef ik het nog helemaal niet over Auschwitz in de Tweede Wereldoorlog te hebben, waar miljoenen Joden de dood ingejaagd zijn. Ik ken christenen die zeggen dat ze in tegenspoed geduldig moeten zijn en dat betekent voor hen dat ze alles maar op hun beloop moeten laten, want ze steken geen hand uit om deze wereld te redden. Dat kan toch niet?'

Annelies heeft geen zin om verder te praten, want de toon van de mevrouw wordt steeds minder vriendelijk. Ze heeft het idee dat die vrouw rondloopt met heel wat frustraties uit haar jeugd en eigenlijk beter naar een psychiater kan gaan, want er wordt nu geen redelijk gesprek met argumenten gevoerd.

Harm denkt er blijkbaar anders over. 'Wij steken wel een hand uit om de wereld te redden,' zegt hij.

'Ha, ha, wat doe jij dan?'

'Wij staan bij de bijbelkraam en wij staan op zaterdagavond bij cafés om te evangeliseren.'

'Dat is niet een hand uitsteken om de wereld te redden, dat is een mening opdringen.'

Harm kijkt ernstig en zegt: 'Mevrouw, wij doen alles om de wereld te redden, wij wijzen de mensen op het beslissende van een relatie met God, want die relatie geeft houvast in het leven.'

'Ja en dan kun je de rest gerust laten stikken! Ik groet jullie!'

Boos beent ze weg.

'Er zijn allerlei soorten van mensen,' is het nuchtere commentaar van Harm, 'die mevrouw begreep ons gewoon niet of ze wilde ons niet begrijpen.'

'We hadden beter niet met haar in discussie kunnen gaan,' meent Annelies.

'Waarom niet?'

'Je kon toch direct zien dat er met haar niet te discussiëren viel/'

'Wat zegt dat? Je moet je mening tegen iedereen zeggen, we leven toch immers in een vrij land en wie weet hoe die mevrouw later toch over onze woorden gaat nadenken. Gods Geest kan de woorden in haar hart brengen. Ze was in ieder geval geraakt, dat merkte je.'

'Volgens mij heb je er niets aan om mensen boos te maken.'

'Ik maak die mensen niet boos, dat worden ze zelf.'

'Ja, maar je kunt vooraf al zien of iemand boos zal worden.'

'Dat was met die vrouw niet het geval, want in het begin was ze vriendelijk en pas tijdens het gesprek werd haar toon minder aardig. Het is in dit werk belangrijk om slechte gesprekken aan te kunnen.'

'Hallo, ik zoek een bijbel, kunt u mij daaraan helpen?' hoort ze een stem naast zich. Peter! Er gaat een schok door haar heen. Haar hart begint te bonzen en ze durft niet op te kijken.

'Hallo, kunt u me aan een bijbel helpen?'

Het is de stem van Peter niet en dan durft Annelies op te kijken. Ze ziet een jongeman, die iets groter is dan zij, met een halflange bruine jas aan en donkerblauwe, vorsende ogen, die haar recht aankijken. Het is Peter niet, hij ziet er heel anders uit, maar waarom...? Verward slaat ze haar ogen neer.

'Hallo, ik zoek een bijbel mevrouw.'

'Sorry, dat ik u liet wachten en ik ben geen mevrouw hoor,' zegt Annelies, die zich begint te herstellen, 'maar ik wil u wel aan een bijbel helpen. Wat voor bijbel zoekt u?'

'Zegt u maar eens, welke bijbels u in uw kraam heeft.'

'Het is mijn kraam niet.'

'O, ik dacht dat u de baas van de kraam was,' zegt de jongeman en hij lacht een korte heldere lach, die haar hart sneller doet kloppen. Waarom eigenlijk? Ze heeft toch niets met die jongeman te maken, ze kent hem niet eens...

'Laat maar eens kijken.'

Annelies schaamt zich, omdat het de zoveelste keer is dat ze niet reageert op zijn woorden. 'We verkopen hier drie soorten bijbels, namelijk de NBV, de Nieuwe Bijbelvertaling, zoals u misschien wel weet, nou ja, ik weet niet of u het weet, maar die verkopen we en dan verkopen we de NBG van 1951, dat is de op een na nieuwste vertaling en dan hebben we ook de oude vertaling nog, maar die zult u wel niet bedoelen.'

'Jij weet helemaal niet wat ik bedoel, voor zover ik weet ken ik jou niet en jij mij ook niet. Misschien ben ik wel iemand die graag een bijbel in de oude vertaling leest.'

Annelies raakt weer in de war, maar ze wil er niet meer

aan toegeven en zegt: 'Daar ziet u niet naar uit.'

'Als je iemand bent die iedereen op het uiterlijk beoordeelt dan kun je daar nog wel eens grote moeilijkheden mee krijgen, jongedame.'

Annelies voelt dat ze rood wordt. Wat een vent om haar zo maar in het openbaar een lesje te leren!

'Om verder te gaan, hebben jullie de Bijbel van Oussoren hier ook liggen?'

'U bedoelt de Naardense bijbel?'

'Precies, je valt me weer mee. Die Naardense bijbel is heel precies uit de grondtalen vertaald, net zo iets als de Statenbijbel, zeg maar en hij is heel geschikt voor bijbelstudie.'

'Ik, eh, weet niet of we de Naardense bijbel hier hebben staan, maar ik zal het even voor u vragen,' zegt Annelies en ze stapt op Harm af.

'Zeg Harm, hebben wij hier de Naardense bijbel?'

'Nee, we hebben niet meer dan er ligt.'

'Meneer, de Naardense bijbel hebben wij hier niet.'

'Hebben jullie de Studiebijbel wel?'

'Jazeker hebben we die, de Studiebijbel heeft de vertaling in de statenvertaling, maar daarnaast zijn wel een stuk of tien vertalingen opgenomen en er is een commentaar bij elk vers. De studiebijbel van het Nieuwe Testament bestaat uit zeventien delen en er is ook een cd-rom bij. Men is bezig met een Studiebijbel voor het Oude Testament, maar die is nog niet klaar, dus als u wilt studeren kunt u hier terecht.'

'Wat u vertelt weet ik wel, ik vroeg alleen of u de Studiebijbel hier hebt.'

Annelies voelt dat haar stemming omslaat in geïrriteerdheid. Die vent kan wel veel op Peter lijken en hij kan misschien wel veel weten, maar hij is ook vervelend.

Voordat ze verder kan denken vraagt hij: 'Hebt u de Studiebijbel bestudeerd?'

Annelies merkt dat hij haar weer een slag voor is en antwoordt: 'Ik ken de Studiebijbel wel, maar ik gebruik hem niet.'

'Welke bijbelvertaling gebruikt u?'

'Dat gaat u, eh, ik bedoel, ik gebruik thuis de Statenvertaling en daar voel ik me best bij, iedereen mag toch immers lezen wat hij of zij zelf wil?'

'Ik verwijt u niets.'

De jongeman kijkt even een exemplaar van de Studiebijbel door, maar legt het daarna weer terug. 'Ik vind het jammer dat je me niet verder kunt helpen,' zegt hij. 'Staat u hier de volgende week weer en hebt u dan de Naardense bijbel bij u?'

'Ik zal het vragen,' zegt Annelies afstandelijk.

'Niet vergeten hoor,' zegt de jongeman, terwijl hij wegloopt. Voordat hij tussen de mensen verdwenen is, kijkt hij nog een keer achterom en lacht tegen haar. Annelies beseft dat hij weet dat ze hem nakijkt, zo'n irritant figuur! Volgende week zaterdag komt hij dus terug!

Annelies betrapt er zich op dat ze de rest van de morgen niet meer zo met haar hoofd bij het werk van de bijbelkraam is. Ze helpt mensen op de automatische piloot en de gesprekken die ze voor de kraam voert, gaan voor een groot gedeelte langs haar heen.

Zelfs als ze naast Harm terugfietst is ze nog met haar gedachten bij het gebeurde met die jongeman. Ze vindt het vreemd dat hij haar in verwarring gebracht heeft. Komt het omdat zijn stem haar zo aan Peter herinnerde en heeft ze dus het gebeurde met Peter nog niet verwerkt of zag ze iets in hem? Als ze eerlijk is tegenover zichzelf, moet ze het laatste bekennen. De gevoelens die ze nu heeft kent ze van de tijd dat ze Peter voor het eerst zag.

'Waar zit jij met je gedachten?'

Ze is ineens terug in de werkelijkheid als Harm haar aanspreekt.

'Waar zit jij met je gedachten? Vond je het leuk om te doen?'

'Ja, het gaat wel.'
'Je vond het niet zo leuk hè?'
'Jawel hoor, maar mijn gedachten wilden niet zo mee.'
'Nou, daarom dacht ik dat je het niet zo leuk vond. Ik vind het juist fijn om met de mensen over de Bijbel en over God te praten en te discussiëren. Je weet nooit wat zulke discussies bij mensen losmaken. Och, misschien moet je er gewoon aan wennen, want het is best vermoeiend. Maar het was wel leuker dan het evangeliseren bij het café, hè?' Zonder haar antwoord af te wachten vervolgt hij: 'Zeg, ik vind dat we wel wat lekkers verdiend hebben.'
'We hebben toch koffie met een koek gehad?'
'Zo bedoel ik het niet, we kunnen mooi van de gelegenheid gebruik maken om samen ergens wat te drinken vind ik, maar misschien denk jij daar anders over.' Dit zeggend wijst hij naar een prachtig restaurant in het landelijk gebied, waar ze nu fietsen.
'Dat is wel een dure gelegenheid.'
'Ik betaal.'
'Goed, dan gaan we erheen,' zegt Annelies, die haar tegenzin niet aan Harm wil laten blijken.
Even later zitten ze tegenover elkaar aan een tafeltje in het restaurant, waar op dat moment weinig gasten zijn. Er klinkt zachte achtergrondmuziek, die Annelies in een goede stemming brengt. Ze kijkt uit het raam en ziet de kale bomen bij de afscheiding van het restaurant staan en wat verder weg de lege weilanden en de boerderijen in het land. Door dat beeld heen ziet ze ineens het gezicht van die jongeman van vanmorgen weer, met zijn diep doordringende heldere blauwe ogen.
'Wat zal het zijn, meneer, mevrouw?' hoort ze de bediende vragen.
'Jij ook koffie met kwarkgebak?' vraagt Harm.
Ze knikt met haar hoofd en kijkt naar Harm, maar daarachter ziet ze weer de ogen van de jongeman, die volgende week bij de kraam terugkomt...

Als de koffie met het gebak bij hen neergezet is, pakt ze het vorkje op en snijdt ze een klein reepje van het gebak af, ze heeft geen behoefte aan een gesprek.

'Wat ben je stil,' zegt Harm. 'Het komt zeker, omdat het je zo is tegengevallen? Volgende week sta ik er weer, maar jij hebt misschien geen zin om te gaan en dat hoeft ook echt niet, want het is helemaal vrijwillig.'

Annelies merkt dat ze rood wordt en ze voelt zich schuldig als ze zachtjes zegt: 'Ik wil volgende week graag weer mee hoor.'

Ze ziet dat Harm opgemerkt heeft dat ze rood werd en dat ze het woordje 'graag' zei en op dat ogenblik weet ze dat ze iets verkeerds gezegd heeft.. Hij is tot over zijn oren verliefd op haar, dat is zo duidelijk als wat. Moet je zijn ogen eens zien!

Misschien is het nu maar het beste om niet naar hem te kijken en alle aandacht op het gebak te richten. Het helpt haar niet zo veel, want ineens voelt ze Harms been tegen het hare, eerst heel zachtjes en dan iets harder. Langzaam, zonder hem aan te kijken, trekt ze haar been terug, wat op dat moment blijkbaar genoeg is, want Harm trekt zijn been ook terug. Annelies weet niet goed raad meer met de situatie en kan niet anders doen dan afwachten wat Harm gaat doen. Als ze een slok van haar koffie neemt, kijkt ze heel snel even naar Harm en dan ontmoeten haar ogen de zijne. Nu gelooft hij natuurlijk dat zij zenuwachtig is, omdat ze ook verliefd is, gaat het door haar heen en ze wil gauw over iets gewoons gaan praten.

Harm is haar voor. 'Anne..., Annelies,' hakkelt hij, 'ik eh..., ik wil je wat vragen.'

'Wat is er?' doet ze quasi nieuwsgierig, maar in werkelijkheid weet ze precies wat er komen gaat.

'Annelies, vond je het fijn dat we samen bij de bijbelkraam stonden?'

Ze neemt haar kans waar om te praten over de bijbelkraam. 'Jazeker Harm, ik vond het een mooie ochtend, ook al was ik er niet steeds met mijn gedachten bij, er waren enkele mensen die negatief reageerden, maar we hebben toch goede gesprekken gevoerd en...'

'Zeg dat wel, we hebben goede gesprekken gevoerd en wie weet, zegent God die gesprekken het hart van de mensen. Ik ben blij dat je volgende week weer mee gaat. Eh, Annelies, ik vind het fijn om samen met jou dit werk te doen.'

Blijkbaar wacht hij op een reactie van haar. Hij legt haar de woorden: 'Ik vond het fijn om dit werk samen met jou te doen', als het ware in de mond en hij kijkt haar nadrukkelijk aan, maar als ze blijft zwijgen gaat hij verder: 'Ik hoop dat we samen nog lang op de markt kunnen staan.'

Dit wil ze niet, ze wil hem niet aan het lijntje houden, maar ze weet nog steeds niet goed hoe ze het moet aanpakken, want ze wil duidelijk zijn zonder hem te kwetsen.

'Na volgende week zal ik weer in de boekwinkel moeten staan.'

'Dan hebben we mooi de volgende week zaterdag nog.'

'Jazeker.'

'Vind je, eh... het ook fijn om... er met mij te staan?'

Alle mensen, is dat nu Harm die tegen de mensen zo vrijmoedig praat? Zijn bedoeling is overduidelijk, maar hij durft niet uit te spreken wat hij wil zeggen en hij verwacht de oplossing weer van haar. Annelies begrijpt dat ze nu duidelijk moet zijn, het is in zijn belang.

'Harm, ik vind jou een goede jongen,' zegt ze en ze ziet de hoop in zijn ogen opvlammen, 'maar,' zo voegt ze er snel aan toe, 'niet meer dan dat.'

'Hoe be-bedoel je?' stottert hij.

Annelies moet nu doorzetten. 'Net zoals ik het zeg, ik vond het prima om met jou te evangeliseren en bij de kraam te staan, maar je moet daar geen conclusies aan verbinden.'

'Wat, hoe...?'

'Harm, luister goed,' zegt ze en ze buigt zich naar hem

toe, 'ik vind jou echt een goede jongen, maar je moet niets over ons samen denken voor de toekomst.'

Zijn gezicht gaat iets achteruit, Annelies leest de pijn van zijn gezicht af, ze heeft verschrikkelijk veel medelijden met hem, want hij is echt een goede jongen en ze gunt hem deze pijn niet, maar ze kan toch niet anders?

Even zegt hij niets en kijkt naar het tafelblad, blijkbaar moet hij dit bericht verwerken. Het is duidelijk dat Harm dacht dat ze 'ja' zou zeggen en ze vraagt zich af of zij daar aanleiding toe gegeven heeft.

Dan kijkt hij weer op en ze leest weer iets krachtigs in zijn ogen, wat haar goed doet. 'We kunnen toch goede vrienden blijven en samen blijven evangeliseren?' stelt hij voor.

'Dat weet ik niet, ik ben eerlijk gezegd bang van niet.'

'Ook goed.'

Annelies is opgelucht dat Harm het zo opvat.

Harm vraagt: 'Vind jij het niet vervelend om er volgende week samen te staan?'

'Ik denk dat het eerder vervelend is voor jou, omdat je dan misschien toch verkeerde voorstellingen gaat maken of omdat je het moeilijk vindt om bij mij te zijn.'

'Nee, dat denk ik niet,' zegt Harm.

Dan gaat haar hoofd weer naar achteren, zodat de afstand tussen hen groter wordt en is het intieme moment voorbij. Harm zegt niets, blijkbaar moet hij de teleurstelling verder verwerken, en zij zwijgt ook. Daarna drinkt hij zijn koffiekom leeg en eet de laatste stukjes van zijn gebak op. Ze zorgt ervoor gelijk met hem klaar te zijn, zodat ze gelijktijdig kunnen opstaan. 'Wacht maar even, ik loop even naar de kassa om te betalen.'

Annelies protesteert expres niet, omdat Harm dat nu misschien verkeerd zou opvatten.

Als hij terugkomt, zijn de laatste sporen van teleurstelling van zijn gezicht verdwenen en zegt hij opgewekt: 'Ziezo, we kunnen vertrekken, vergeet je jas niet.'

'Dacht je dat ik die vergeet, terwijl het buiten zo koud is?'
'Vergeet dan in ieder geval je fiets niet.'
'Dan moet ik zeker bij jou achterop?' flapt ze eruit om er meteen spijt van te krijgen als ze het gezicht van Harm ziet betrekken.
'Nee, dat hoeft niet,' zegt hij afgemeten.
Annelies loopt vlug voor hem uit en zegt dat de fietsen er nog staan. Ze ziet dat hij weer een klein beetje glimlacht.

Ze fietsen naast elkaar terug, ook al weet Annelies dat ze hiermee het risico loopt dat mensen uit de buurtschap hen zullen zien en over hen zullen gaan praten. Ze vindt zelf dat je praatjes zoveel mogelijk moet voorkomen, maar ze wil het Harm niet aandoen om het laatste stukje alleen te fietsen.
Ze praten wat over de voorbije morgen en wat ze de volgende week willen doen en als dat onderwerp uitgeput is, begint Annelies over school, waarover Harm niet veel kwijt wil. Misschien schaamt hij zich wel dat hij nog op school zit, terwijl zij al lang werkt. Daarna begint ze over de boerderij waar hij woont en over de tegenslagen die de boeren de laatste jaren getroffen hebben. Harm vertelt opnieuw dat hij zendeling wil worden.
'Dat is niet zo gemakkelijk, want dan moet je heel goed zijn in talen en dat ben ik niet. Ik wil het liefste naar de universiteit om aan een theologische studie te beginnen, maar ik weet niet of het lukken zal, maar misschien kan ik voor pastoraal medewerker gaan studeren. Ik lees en hoor dat er veel vraag naar is, omdat veel gemeenten een tweede predikant niet kunnen betalen en de pastoraal medewerkers een deel van de predikantstaken overnemen.'
Op dat moment voelt Annelies de pijn van Harm en ze is er meer dan ooit van overtuigd dat hij een goede vent is, al is hij dan niet geschikt voor haar. Hij is zo heel anders dan de meeste jongeren bij haar in de buurt die puur traditioneel zijn of alleen maar denken aan geld verdienen. Hij

durft keuzes te maken in het leven en daarnaar zijn leven in te richten. Tegelijkertijd heeft ze medelijden met hem, omdat zijn dromen niet te verwezenlijken lijken en hij zijn hart niet kan volgen.

'Ik heb eens gehoord van een evangelist die in gevangenissen werkt. Zou dat niets voor jou zijn?'

'Ik weet het niet, misschien wel, maar je begint niet in de gevangenis, dat doen alleen criminelen.'

Ze lachen beide hartelijk en de spanning is gebroken.

'Ik vind het mooi dat je in het koninkrijk van God wilt werken,' zegt Annelies in een plotseling opkomend vertrouwen. 'Weet je waar ik nog wel eens moeite mee heb?'

'Nou?'

'Bij ons hebben we altijd geleerd dat er een uitverkiezing is en dat God het geloof in het hart moet werken en jullie zeggen dat je voor Jezus moet kiezen.'

'Dat kan toch best samengaan?' merkt Harm een beetje verwonderd op, 'als mensen voor Jezus kiezen betekent het dat God hen het geloof geeft, het is eigenlijk zo simpel als wat.'

'Ik weet het niet Harm, de dominee heeft het wel eens over een gestolen Jezus of een Jezus met vijf letters. Het kan toch niet zo zijn dat iedereen die zegt Jezus aan te nemen dat ook werkelijk doet? Dat zegt de Heere Jezus Zelf toch ook?'

'Dat is zo, maar daar hebben wij niet over te oordelen, wij moeten geloven dat het waar is als iemand zegt dat hij Jezus aanneemt, want wij kunnen niet oordelen over het hart.'

'Hoe kun je dan weten of het waar is?'

'Je moet kijken hoe iemand leeft, want aan de vruchten kent men de boom.'

'Het kan wel waar zijn wat je zegt, maar de kans bestaat dat iemand zegt dat hij Jezus kent en in zijn leven veel goede werken doet, waardoor iedereen denkt dat hij een echte christen is, terwijl dat toch niet waar is.'

'Ja, dat kan, maar zo'n huichelaar wordt bij de hemelpoort wel door God tegengehouden, dat hoeven wij niet te doen.'

'Onze dominee zegt dat de mensen zich nauw moeten onderzoeken, omdat het erg zal zijn als ze zich zullen bedriegen voor de eeuwigheid.'

'Dat is natuurlijk wel waar, maar je hebt er ook niets aan als de mensen daarmee hun hele leven bezig zijn en verder nergens aan toe komen. Als je altijd aan het onderzoeken bent en verder niets voor God doet, ben je wel fout bezig. Hoeveel zouden ze voor God kunnen doen, als ze de zekerheid van het geloof zouden hebben?'

'Wat erger is, weet ik niet, maar ik vind dat de evangelischen wel erg opgaan in Jezus volgen en het doen van dingen. Het is allemaal zo activistisch en intussen kan alles ermee door.'

'Wat kan er dan mee door?'

'Nou, de muziek, als je hoort welke muziek ze christelijk noemen. Het maakt velen niet uit of het dance of technohouse is, hoe harder hoe beter, vinden ze. Vind jij dat christelijk?'

'Ik zeg niet dat ik het overal mee eens ben, er zijn ook evangelischen die ik niet kan waarderen, maar ik heb toch niets met hen te maken?'

'Nee, dat is waar.'

'Ik vind dat de refo's vaak zo materialistisch zijn.'

Annelies doet er het zwijgen toe.

Ze zijn bijna bij de boerderij van Harms ouders en vlak voor het afscheid ziet Annelies de pijn op het gezicht van Harm weer terugkomen. Misschien heeft hij al heel lang aan haar gedacht en betekent haar weigering van daarstraks een grote schok voor hem. Ze vraagt zich af hoe hij afscheid wil nemen. Als hij zachter begint te rijden, met de klaarblijkelijke bedoeling om nog iets belangrijks te zeggen, blijft ze in hetzelfde tempo doorfietsen en dan verhoogt Harm zijn tempo weer. Zodra ze bijna bij de inrit zijn,

steekt Annelies haar hand op en roept ze: 'Tot ziens.'
'Tot ziens,' roept Harm.
Annelies buigt zich over haar stuur en kijkt op noch om als ze verder rijdt.

10

Annelies voelt zich opgelucht en leeg tegelijk als ze verder fietst. Ze is blij dat ze duidelijk geweest is tegen Harm, want ze heeft geen diepere gevoelens voor hem, hoewel ze hem een aardige vent blijft vinden. Tegelijkertijd merkt ze een leegheid bij zichzelf die ze niet kan wegdringen. De toekomst is een beetje een zwart gat: Peter is er niet meer voor haar en ze weet niet hoe het verder moet. Als ze denkt aan die jongeman op de markt die haar aan Peter deed denken, voelt ze zich verward. Hoe kwam het dat hij zo'n indruk op haar maakte?

Ineens merkt ze dat ze vlak bij het huis van De Rooij is en ze besluit spontaan naar hem toe te gaan. Het is wel vaker gebeurd dat ze bij hem, die zo ongecompliceerd leeft en toch beschikt over een grote mate van levenswijsheid, rust vond.

De Rooij is bezig met het vegen van de straat als ze langs rijdt. 'Hé, Annelies, waarom zie ik je nooit meer hier?' roept hij haar toe.

Dadelijk roept ze terug: 'Ik kom al, hebt u de koffie klaar?'

'Jazeker meid, we hebben op je gewacht.'

Zonder zich te bedenken rijdt Annelies de inrit in en ze voelt zich vanzelf blij worden. Wie zou dat niet zijn als hij met De Rooij in contact komt?

'Ik ben blij dat je weer eens aankomt, je komt zo weinig meer bij ons.'

'Druk!'

'Dat zeggen ze tegenwoordig allemaal, de wereld lijkt wel razend geworden. Maar ook als je druk bent, is het goed om een keer langs te komen, mijn kind. We zullen naar binnen gaan, want het is te koud om buiten te blijven staan praten.'

'Ik heb de hele morgen buiten gestaan.'
'O, en waar was dat?'
'Op de grote markt in de stad.'
'Wat moest jij daar doen?'
'Ik heb bij de bijbelkraam gestaan.'
De Rooij kijkt haar verbaasd aan. 'Zo ken ik je niet, Annelies, ik geloof niet dat jij past bij die mensen die zeggen dat je Jezus moet aannemen.'
Annelies heeft een scherp antwoord op haar tong, maar ze houdt zich in en zegt niets, want ze wil De Rooij geen pijn doen.
'Kom, we gaan naar binnen,' vervolgt de oude man, 'dan zullen we eens kijken of mijn vrouw de koffie al klaar heeft.'
'Dag mevrouw De Rooij,' zegt Annelies bij binnenkomst. Ze kijkt de kamer rond, waar alles precies zo is als vroeger. De pendule op de schoorsteen tikt op exact dezelfde plaats, waar hij al zeker twintig jaar staat, de seconden weg en de kolenkachel verspreidt zijn warme gloed door de kamer. Dicht bij de haldeur hangt een rechthoekig schilderijtje met daarop twee gevouwen handen, die de afhankelijkheid van deze mensen treffend symboliseren en bij de tafel staan de degelijke eikenhouten eetkamerstoelen die de kamer domineren. Er is wel een zitgedeelte met fauteuils, maar daar zitten De Rooij en zijn vrouw niet vaak. Doorgaans zitten ze aan tafel, zij bezig met een handwerkje en hij in de krant of een kerkblad lezend. Annelies schuift aan de tafel, schuin tegenover de plaats van mevrouw De Rooij, die naar de keuken is gelopen om koffie te zetten, en De Rooij, zodat ze zo dadelijk in een driehoek zullen praten.
'Zo, kwam je op de koffie af, een ogenblik geduld, ik ben bezig om bij te zetten, over een paar minuutjes ben ik klaar,' zegt mevrouw De Rooij vanuit de keuken.
Annelies kijkt vanuit de kamer door de openstaande deur naar haar, terwijl ze kokend water uit een fluitketel opgiet.
'Ouderwets hè?' vraagt mevrouw De Rooij, die haar ziet kijken.

'Ouderwets misschien wel, maar ik ken geen lekkerder koffie dan die van u, het hele huis ruikt ernaar.'

'Ik ben blij dat je weer eens aankomt, Annelies, ook al doe je dan wel eens rare dingen. Hoe is het met je vriend?'

'De verkering is uit,' zegt Annelies plompverloren.

'Uit? Dat had ik niet gedacht.'

'Ik dacht dat jullie verlovingsringen zouden kopen van het geld dat jullie gekregen hadden?' mengt mevrouw De Rooij zich in het gesprek. De gedachten van Annelies gaan terug naar het schuurfeest, waarvan Peter gewond terugkeerde. Toen leefde de hele buurt met hen mee en hadden ze geld bij elkaar gebracht. Ze bedenkt dat ze nog een deel van dat geld heeft en ze herinnert zich dat het inderdaad de bedoeling was om er verlovingsringen voor te kopen. Ze voelt dat haar keel dicht begint te zitten.

'Praat u er alstublieft niet over,' valt Annelies uit.

'Meisje toch, er moet iets bijzonders gebeurd zijn dat jij zo veranderd bent.'

'Dat is het ook, de verkering met Peter is uit en hij is me zo verschrikkelijk tegengevallen, dat kan ik u wel zeggen.'

De Rooij kijkt peinzend naar haar gezicht en zegt dan: 'Wilde hij te ver gaan?'

Annelies kijkt naar De Rooij die zo begripvol kijkt en ze heeft het idee dat hij alles weet. Ze heeft er nooit met iemand over gepraat, hoe is het mogelijk?

'Ja,' zegt ze ontwapend, maar hoe weet u dat?'

'Mijn lieve kind, dat was vroeger al niet anders. Ik ben ook jong geweest, al zou je dat nu misschien niet denken en toen was ik ook geen heilige. God heeft mij ervoor bewaard om te ver te gaan. Daar ben ik Hem dankbaar voor, het lichaam moet een tempel van de heilige Geest zijn. Tegenwoordig zijn er veel meer middelen verkrijgbaar en lijkt de wereld wel aan elkaar te hangen van nou ja, je weet wel wat ik bedoel, maar vroeger was het ook wat hoor. Er heeft zich heel wat afgespeeld in de hooibergen en schuren van de boeren, maar de mensen praatten er niet over. Wat wel openbaar kwam was dat er heel wat stelletjes waren die moesten trouwen. Hoe staat het met jou meisje?'

'Denkt u, dat...?'

'Nou ja, je bent een aantrekkelijke jonge vrouw, zoveel kan ik wel zien.'

'Nee,' zegt ze en ze heeft de neiging om op te springen en de deur uit te lopen. Hoe kan hij dat van haar denken? 'Peter wilde...hij... en toen...'

'Toen wilde jij niet, begrijp ik.'

'Ja, ik ben niet beter hoor, maar ik...'

'Stil maar, ik begrijp je wel, en toen heb jij gezegd, dat Peter...'

'Nee, toen ben ik weggegaan.'

'En toen was de verkering uit en ben je niet meer bij hem teruggeweest en nu vraag je jezelf af of je dat wel goed gedaan hebt?'

'Zoiets ja.'

Mevrouw De Rooij onderbreekt het gesprek met de mededeling dat de koffie klaar is. Het is ook het sein om over een ander onderwerp te beginnen en dat is maar goed ook, want Annelies voelt dat ze het niet meer aankan. Allerlei dingen van toen komen weer boven.

Ze praten over de boerderij en over de moeite met het boeren, over de kerk en de dominee, over het mooie winterse weer en over nog meer alledaagse dingen en de rust komt vanzelf terug. Annelies weet intussen wel dat De Rooij straks zal terugkomen op haar omgang met Peter.

Dat gebeurt als mevrouw De Rooij zich teruggetrokken heeft in de keuken. Blijkbaar voelde zij aan dat haar man een vertrouwelijk gesprek wilde voeren.

'Je had het er straks over dat de verkering uit is, meisje, blijft die ook uit?'

'Ik denk er niet aan weer naar hem toe te gaan,' is het besliste antwoord.

'Is het vanbinnen helemaal rustig?'

'Nee, dat niet, maar als ik aan hem denk, voel ik me boos worden.'

'Peter was naar mijn idee een goede vent, die goed bij jou, kruidje-roer-me-niet, leek te passen, maar gedane zaken nemen geen keer.'

'Vanmiddag ben ik gevraagd door een andere jongen,' vertrouwt ze hem toe.

'O, dat was niks hè?'

'Hoe weet u dat?'

'Dat is niet zo moeilijk: als je 'ja' gezegd had, was je niet over Peter begonnen.'

'Dat denk ik ook, het was een beste jongen, iets jonger dan ik, hij zit nog op school en ja, ik weet het zelf niet, maar ik vind hem nog zo kinderlijk.'

'Heb je met hem bij de bijbelkraam gestaan?'

'Hoe weet u dat?'

'Dat kan ik wel raden, je vertelde zelf dat je vandaag bij de bijbelkraam gestaan hebt en je zei ook dat je die jongen de laan uitgestuurd hebt, ik ben wel oud, maar niet te oud om die twee dingen in elkaar te passen. Ik kan wel begrijpen dat die jongen je vroeg, want je bent een aantrekkelijke partij.'

Annelies voelt dat ze bloost en ze zegt: 'Ik zag vanmorgen een jongeman en ik dacht ineens dat het Peter was.'

'Oh?'

'Het was Peter helemaal niet, maar ik dacht het gewoon.'

'Misschien leek hij op Peter of had hij iets dat aan Peter herinnerde.'

'Ik weet het echt niet.'

'Voelde je je ineens weer...?'

Annelies slaat haar ogen neer en zegt: 'Ja, ik had hetzelfde gevoel weer als...'

'Pas daarmee op hoor, want je gevoel kan je bedriegen.'

'Maar als het nu wel...'

'Het kan, je wilt die jongeman zeker nog een keer ontmoeten?'

'Hij is volgende week weer op de markt.'

'Nou ja, veel gevaar is er niet bij, maar ik waarschuw je nog een keer om op te passen voor je gevoel, je bent echt zo'n kruidje-roer-me-niet, hoe zeggen ze dat tegenwoordig ook alweer? Oh ja, zo spontaan en voor je het weet begin je aan iets wat je zelf niet wilt.'

'Ik begrijp eerlijk niet wat u bedoelt.'

'Ik begrijp het zelf ook niet,' relativeert De Rooij zijn eigen opmerkingen. 'Ik zeg gewoon wat ik denk en ik denk dat je een heel opvliegende aard hebt, niet ten kwade, maar in de goede zin. Verder kan ik er niets over zeggen, ik wil het nog wel over die bijbelkraam hebben, meisje. Dat zijn wij hier niet zo gewend. Ik ben er, toen ik een keer in de stad kwam, eens uit nieuwsgierigheid langsgelopen en ik zag dat er allerlei soorten bijbelvertalingen liggen, oude en nieuwe en nog nieuwere en weet ik wat niet allemaal. Je kunt toch zelf wel begrijpen dat dat niet goed kan zijn, want hoe kan nu de ene vertaling goed zijn en een andere die heel anders is, ook? Wij zijn opgevoed bij de Statenvertaling, die duizenden mensen tot zegen geweest is en ik denk niet dat we een andere vertaling moeten gaan lezen. Blijf maar bij het oude, daar wil God Zijn zegen aan geven, de veranderingen van tegenwoordig trekken ons volk van God af. Dan heb ik het nog helemaal niet over de mensen die bij de kraam staan, de lichtmutsen, die zeggen dat je voor Jezus moet kiezen. Meisje, ik wil je in alle liefde waarschuwen, je weet zelf hoe de dominee en de oudvaders het zeggen, je hebt toch heel wat gelezen, en ik gun je het allerbeste.'

'Weet onze kerk het dan beter?'

'Nee, dat zeg ik niet, ik zeg niet dat de dominees van onze kerk het beter weten dan de anderen, want er zijn ook nog wel andere kerken die aan de oude waarheid vasthouden. Tegenwoordig maken ze ruzie over welke kerk de beste is, daaraan wil ik niet meedoen, de oude waarheid is op meer plaatsen te beluisteren dan in onze kerk. Onze vaderen hebben niet voor niets strijd moeten voeren tegen de remonstranten en voor de Bijbel. Annelies, laten we het daar maar bij houden, dan zijn we het beste af.'

Annelies is het niet helemaal met hem eens, maar het heeft geen zin om op zijn woorden te reageren, omdat ze weet dat er geen sprake kan zijn van een discussie en ze wil geen ruzie met De Rooij, want daar zou het toch op uitdraaien. Ze besluit een voorzichtige vraag te stellen.

'Hoe ging dat in uw persoonlijk leven?'

'Mijn kind, ik heb er niets aan gedaan en de Heere heeft er alles aan gedaan. Ik heb alleen maar gezondigd, als ik aan mijn jeugd denk, moet schaamte mijn aangezicht bedekken, want ik heb veel gezondigd. Ik zocht de Heere niet, maar Hij heeft mij gezocht. Al die dingen die tegenwoordig zo openlijk gezegd worden over de omgang tussen man en vrouw hebben een stempel op mijn leven gezet. In mijn jeugd, ik moet het tot mijn schaamte zeggen, kon ik mijn handen niet thuishouden en het is alleen maar aan mijn vrouw te danken dat ik niet te ver gegaan ben. Tegenwoordig zien ze allerlei beelden op de televisie en op de computer, ik zag die in mijn hoofd, dus ik was niet beter. Maar God zij dank is er een keer ten goede gekomen, daar dank ik Hem voor.

Op een dag was ik getuige van een ongeluk en toen sloeg het naar binnen dat ik moest sterven en ik kon niet sterven, want ik had zo veel zonden gedacht en gedaan en God stelde mij al mijn zonden voor ogen. Nou, toen werd ik benauwd, zo erg, zo erg, dat ik wel eens gedacht heb dat ik liever niet meer zou willen leven, maar toen het op zijn allerergst was, kwam er een stilte in mijn ziel. Ik was het eens met de straf van God, omdat ik straf verdiend had voor mijn zonden en toen hoefde ik niet gestraft te worden, want toen was er een Borg voor mijn ziel, de Heere Jezus Christus, Die mijn schuld betaald heeft. Eerst kon ik dat zelf niet geloven, maar ik kreeg er steeds meer zicht op en de blijdschap van de verlossing werd steeds groter. Tegelijkertijd werd ik toch weer treurig, omdat ik telkens tegen God bleef zondigen. Het grote wonder, dat God zijn genade in mij heeft willen verheerlijken, vervult me nog heel vaak met grote blijdschap.'

Annelies ziet dat de ogen van De Rooij vochtig worden, hier is geen sprake van huichelarij.

'Waarom zijn er in onze kerk maar zo weinig mensen die de Heere kennen?'

'Och mijn lieve kind, daar is de Heere vrij in. Hij verkiest mensen tot de zaligheid en dat is niet het werk van de mensen, die het alleen maar verkeerd kunnen doen.'

'Wim heeft pas ook een ernstig ongeluk meegemaakt en hij is heel anders dan eerst, zou dat...?

'Dat weet ik niet, het kan zijn dat mensen zo'n schrik in hun geweten krijgen dat God doortrekt met Zijn werk, maar er zijn er ook bij die als een gewassen zeug terugkeren tot de wenteling in het slijk.'

'Zou u met hem kunnen praten?'

'Dat weet ik niet hoor, het moet open vallen, zoals ik nu met jou praat dat gebeurt niet zo vaak, mijn lieve kind, maar wie weet kan ik ook met Wim goed praten, hij is een broer van jou, dat scheelt al veel.'

De Rooij glimlacht en Annelies glimlacht terug.

'Ik vind het jammer dat ik over geestelijke dingen niet met mijn ouders kan praten.'

'Dat is zeker jammer.'

'Mijn vader weet altijd heel goed hoe het moet, met hem krijg je gauw ruzie en mijn moeder ziet alles van de sombere kant, maar echt inhoudelijk praten doen ze geen van beiden.'

'Ik begrijp dat Wim ook niet met hen zal kunnen praten, dus ik zou zeggen: stuur hem gerust hierheen, dan zien we wel hoe het loopt. En nu moet je nodig naar huis, want je ouders zullen niet weten waar je blijft.'

Dat is de manier van De Rooij om aan te geven dat het vertrouwelijke gesprek voorbij is, het heeft geen zin om ertegenin te brengen dat ze volwassen is en zelf beslist wanneer ze thuiskomt.

Annelies staat op en neemt afscheid. In de keuken zegt mevrouw De Rooij: 'Hebben jullie genoeg boerenkool in de tuin, anders kun je wel wat meekrijgen, want wij hebben toch te veel.'

'Ik zal het thuis vragen,' belooft Annelies, 'als het nodig is kom ik ze volgende week wel halen.'

'Doe dat maar, dan zien we je nog eens,' zegt De Rooij vanuit de kamer.

II

Een week geleden stond ze hier ook achter de bijbelkraam, maar toen was alles anders, denkt Annelies. Toen was het mooi winters weer, nu waait het nogal en dreigt het te gaan regenen, maar het grootste verschil is dat Harm er niet is. Hij belde vanmorgen af en zei dat hij zich niet zo goed voelde.

Ze kreeg medelijden met hem, omdat ze wel een vermoeden had hoe dat kwam...

Wat een verschil met vorige week, nu is alles triest en mistroostig. Moet je naar de kerktoren kijken, daarachter zie je de grauwe wolken voorbijdrijven en op het marktplein hoor je de zeilen van de kramen klapperen en er loopt slechts een enkele bezoeker.

Annelies is benieuwd of ze die jongeman van vorige week, ze weet niet eens hoe hij heet, weer zal zien. Ze betrapt zich erop dat ze naar hem uitkijkt, niet omdat ze zulke grote verwachtingen heeft, maar wel omdat ze haar gevoelens op een rijtje wil krijgen.

Annelies is deze keer alleen met Linda, die af en toe koffie inschenkt uit een meegenomen thermoskan om hen een beetje warm te houden.

'Is Harm ziek?' vraagt ze.

'Ja, hij belde vanmorgen op dat hij zich niet goed voelde.'

'Jammer voor hem, hij is niet vaak ziek. Trouwens, wat is het rustig.'

'Ja, ik denk dat er niet veel mensen komen, wij hadden ook wel weg kunnen blijven.'

'Dat moet je nooit zeggen, op de meest onverwachte momenten kunnen er mensen opdagen met wie je een goed gesprek hebt.'

Daar ziet het voorlopig niet naar uit. Slechts af en toe komt er iemand voorbij hun kraam die belangstelling heeft, maar tot nu toe hebben ze alleen folders weggegeven en geen bijbels verkocht.

Rond elf uur, de torenklok heeft net geslagen, gebeurt er iets totaal onverwachts. Er loopt een man van middelbare leeftijd, gekleed in een blauw jack, naar de kraam toe – Annelies wil al naar hem toegaan om hem te helpen – die ervoor blijft staan en begint te roepen: 'God bestaat niet en de hele Bijbel staat vol leugens!'

Het is duidelijk dat de man hun kraam op het oog heeft en Annelies kijkt naar Linda met de onuitgesproken vraag in haar ogen wat ze moet doen. Linda haalt ongemerkt haar schouders op, doet een stap naar haar toe en fluistert: 'Hij zal zo dadelijk wel stoppen en weggaan. Laten we hem maar negeren.'

Het lijkt Annelies het beste advies in de gegeven omstandigheden. Je weet nooit wat voor iemand het is. Misschien is het wel een zwerver, die de aandacht probeert te trekken of het is iemand die ze niet allemaal op een rijtje heeft en juist harder zal gaan schreeuwen als je zegt dat hij moet ophouden. Tot nu toe wordt er op de markt gelukkig weinig aandacht aan zijn geschreeuw geschonken.

'God bestaat niet!' roept de man opnieuw en hij heeft nu zijn handen aan zijn mond gezet om zijn geluid harder te laten klinken. Annelies ziet dat nu zowel marktbezoekers als kooplieden naar de man kijken.

'Mensen, ga niet naar de bijbelkraam, want daar verkopen ze leugens,' roept de man nu.

'Eigenlijk zouden we er wat aan moeten doen,' zegt Annelies zachtjes tegen Linda. 'Zo'n man mag toch niet zo'n lawaai maken!'

'Als Harm er was, zou hij gewoon naar de man toegaan, hij kent geen vrees, maar dat doe ik niet!'

Annelies begint zich te schamen als de man doorgaat met schreeuwen en steeds meer mensen naar hun kraam kijken. Er heeft zich een groepje jongeren bij hem verzameld, dat de man lijkt op te jutten. Annelies is bang dat ze zo meteen met z'n allen naar de kraam toe zullen komen en de bijbels op de grond gaan gooien of zoiets. Je leest toch wel eens dat zoiets gebeurt? Ze pakt haar mobieltje uit haar tasje, die ze onder de kraam had neergezet, zodat ze als het nodig is direct 1-1-2 kan bellen. Ze voelt ook boosheid opkomen en ze weet stellig dat ze het niet zover zal laten komen dat de man de bijbels op de grond zal kunnen gooien. Ze doet al een paar stappen naar voren. De man komt ook dichterbij en achter hem aan lopen de opgeschoten jongens, die duidelijk belust zijn op een relletje. Het loopt uit op een confrontatie...

'God bestaat niet en jullie mogen die bijbels met leugens niet verkopen, extremisten.'

Dat laatste woord doet bij haar de deur dicht. 'Zal ik de politie bellen?' vraagt ze.

Linda kijkt naar de man die dichterbij komt en aarzelt duidelijk.

Ineens gebeurt er iets. Annelies ziet dat een jongeman met grote stappen op de schreeuwer toeloopt en als hij vlak bij is, roept hij hem toe: 'Houd op met je geschreeuw!'

Ineens herkent Annelies in hem die jongeman van vorige week en haar hart begint sneller te kloppen.

Verbaasd keert de schreeuwer zich naar de jongeman en nu stort hij zijn gram over hem uit: 'Ik geloof niet in God!'

'Dat hoeft u niet tegen iedereen te zeggen!'

'De bijbel is een leugenboek!'

'Vindt u dat? Welke leugens staan er in?'

'De bijbel is een leugenboek,' schreeuwt de man weer uit alle macht.

Annelies ziet dat meer mensen toe komen lopen.

'Meneer, ik sta vlakbij u, u hoeft niet zo hard te schreeuwen.'

'Ik mag zeggen wat ik wil, ik heb niets met u te maken.'

'Schreeuwen helpt toch niet?'

'Ik wil dat iedereen het hoort!'

'Wat moet iedereen horen?'
'Dat de bijbel een leugenboek is en dat God niet bestaat.'
'Hoe weet u dat zo zeker?'
'Houd stil, houd stil!' schreeuwt de man.
'Ik mag toch zelf weten wat ik zeg.'
'De bijbel is een leugenboek!'
'Meneer, als u anders niets te zeggen hebt, kunt u beter ophouden, want niemand gelooft u.'
Deze woorden lijken tot de schreeuwer door te dringen, want hij kijkt de mensen die om hem heen staan een voor een aan.
'Waarom schreeuwde u net zo hard dat de bijbel een leugenboek is en dat God niet bestaat?' vraagt de jongeman op zachtere toon.
'Ik zal toch zelf weten wat ik zeg!'
'Als u meent dat de bijbel een leugenboek is, moet u zeggen welke leugens er in de bijbel staan, dan gaan we daar samen eens over praten.'
'Ach man, de hele bijbel staat vol leugens, ze zeggen dat God liefde is en de hele wereld is vol haat, hoe kan dat nou?'
De jongeman kijkt ernstig naar zijn opponent en dan zegt hij: 'Ja, wij hebben er een puinhoop van gemaakt, gelukkig dat God liefde is.'
'Ach man en die tsunami vaagt ineens duizenden mensen weg, dat hebben mensen niet gedaan, dat heeft God gedaan.'
'En net zei je dat God niet bestaat.'
'God bestaat niet, maar als Hij wel zou bestaan, dan is Hij geen God van liefde, omdat hij de tsunami stuurt.'
'En wie stuurt de tsunami als God niet bestaat?'
'Het is allemaal leugen, de hele wereld is leugen,' begint de man en zijn stemvolume neemt weer toe.
'Zullen we vragen of de mensen van de bijbelkraam een kom koffie hebben?' vraagt de jongeman, 'dan kunnen we daar verder praten.'

'Ik ga niet naar die bijbelkraam toe, want het is allemaal leugen.'

'De koffie is daar best en u bent toch niet bang?'

'Afzetters zijn het!'

'U hoeft die koffie niet te betalen, dat doe ik voor u. Kom, ik geef u een arm en we lopen samen naar de kraam.'

'Aan m'n nooit niet, ik ga niet iemand een arm geven, net alsof ik oud ben.'

'Dan niet, loop dan gewoon mee, dan kunnen we daar verder praten.'

De man luistert zowaar nog ook en Annelies, die het hele gesprek gevolgd heeft, ziet de twee naar de kraam toekomen en haar hart begint een tikje sneller te slaan. Nu weet ze wat ze in die jongeman ziet: het natuurlijke overwicht dat hij heeft. De jongeman begroet hen allebei met 'hallo'. Ze voelt zich vanbinnen warm worden als ze zijn ogen ziet, waarna ze de koffie inschenkt in plastic bekertjes: een voor de schreeuwer en een voor de jongeman.

'Kom maar even achter de kraam zitten,' zegt ze.

Zodra de man met een bekertje koffie in de hand op een krukje zit, ziet ze dat zijn hand trilt. Haar blik gaat naar zijn ongekamde haar en naar zijn onrustige ogen, waaruit ze concludeert dat hij in de war is. Zijn ogen dwalen telkens van de boeken naar haar en Linda en dan weer over de markt.

'We hebben ook nog koekjes,' zegt Linda, 'meneer wilt u er een koekje bij?'

Een beetje onwillig neemt hij het koekje aan.

Dan vraagt de jongeman: 'Schreeuwen helpt niet, als u iets hebt, moet u erover praten.'

'Ik moet schreeuwen, want praten helpt niet.'

'Als u wilt kunt u het nu over de bijbel hebben of over God.'

'Nee, nee!'

'Ik begrijp wel wat u bedoelt,' mengt Annelies zich op rustige toon in het gesprek, 'er gebeuren zoveel erge dingen op de wereld en u vraagt zich af waarom God niet ingrijpt, als Hij bestaat.'

'Ja, ja,' zegt de man, maar zijn ogen doen niet mee met zijn stem.

Annelies merkt tot haar teleurstelling dat er geen aanknopingspunt is voor een gesprek. Ze dacht dat hij ergens mee zat, maar misschien is hij gewoon een psychiatrische patiënt.

'Er gebeuren zoveel erge dingen en er zijn zoveel ziekten tegenwoordig,' zo gaat ze verder.

'Zeg dat wel,' zegt de man en kijkt naar de grond.

Annelies vraagt zich af waarom hij dat doet en ze besluit om op dit onderwerp door te gaan. 'Bent u wel eens ernstig ziek geweest?'

'Houd toch op,' zegt de man, terwijl hij naar de straatstenen blijft kijken.

'Afgelopen herfst is er een ernstig ongeluk gebeurd, waarbij drie jongeren zijn omgekomen,' vervolgt ze, 'daar zijn we allemaal van geschrokken, mijn broer was er zo van uit zijn doen, dat hij helemaal zichzelf niet meer is. Maar het heeft toch een gunstig gevolg gehad, want na het ongeluk leest hij weer in zijn bijbel.'

'Dat snap ik niet!' Met een ruk komt het hoofd omhoog en Annelies leest angst in de ogen van de man. 'God heeft mij in de steek gelaten, ik ben in alle kerken geweest om een kaarsje te branden, maar God geeft mij geen antwoord.'

Annelies buigt zich voorover en vraagt zachtjes: 'Wat is er dan met u aan de hand?'

'Ik heb kanker en de dokter zegt dat ik niet meer beter kan worden.'

Ineens kijkt Annelies heel anders aan tegen deze man. Hij is in paniek omdat hij spoedig zal sterven!

'Hebt u ook in de bijbel gelezen?'

'De bijbel is een leugenboek.' Ineens is de toon van daarstraks weer terug. De man drinkt zijn laatste teug koffie en staat op. 'Ik dank u voor de koffie,' zegt hij en dan gaat hij weg.

Annelies kijkt de man na, zich niet goed raad wetend met haar houding, want die jongeman zit er nog. Linda lost het probleem op door tegen hem te zeggen: 'Gelukkig dat u er was, er had een heel drama kunnen ontstaan. Er was al een aantal jongeren, dat uit was op een relletje, met hem meegelopen. Wie weet, misschien had hij de bijbels wel van de kraam afgesmeten.'

'Ik denk het niet, die man is gewoon in de war, dat hoorde je later ook, hij heeft heel veel meegemaakt en nu kan hij niets anders meer dan schreeuwen. Zulke mensen zijn niet gevaarlijk, de wetenschappers met hun redeneringen dat God niet bestaat zijn veel gevaarlijker. Zij zijn vaak moeilijk of helemaal niet te weerleggen.'

'Het verschil is dat mensen als die van daarnet moeilijk te bereiken zijn, terwijl de geleerden moeilijk te weerleggen zijn,' zegt Annelies.

De jongeman kijkt haar aan en zegt: 'Dat heb je netjes samengevat.'

De manier waarop hij haar aankijkt, doet Annelies besluiten het gesprek zo lang mogelijk te rekken.

'Studeert u theologie?'

'Nee, ik studeer Engels maar ik heb wel veel belangstelling voor theologie.'

'Wat heeft uw speciale interesse?'

'Vooral de grondvragen, zoals het gesprek over Intelligent Design dat momenteel gaande is. Steeds meer mensen zeggen dat ze de evolutietheorie niet vinden voldoen, omdat ze overal sporen vinden van een knap ontwerp. Ik zeg niet dat die mensen christelijk zijn, maar ze geloven ergens in een schepper en dat is beter dan nergens in te geloven. Dan moet je zien hoe de wetenschap zich weert! De meesten van hen willen niets weten van een schepper.'

'Zeg Annelies, ik loop even naar voren,' zegt Linda,

waarna Annelies alleen is met de jongeman.

'Hebt u zich in het debat gemengd?' vraagt Annelies.

'Zover ben ik nog niet, ik moet zeggen dat ik er ook niet altijd uitkom. Ik zie wel wat in ID zoals ze het noemen, maar tegelijkertijd wil ik de bijbel recht doen en volop blijven geloven in de schepping zoals die daar beschreven staat. Ik denk dat ik nog heel wat moet studeren. Het valt niet mee om wetenschappelijk te redeneren als je het gelijk van de bijbel wilt verdedigen. Het is gemakkelijker om te stellen dat de bijbel gelijk heeft, klaar uit, zoals zoveel fundamentalisten doen. Ik geloof dat de waarheden van de bijbel ook wetenschappelijk houdbaar zijn, maar ik wil niet vervallen in de fouten van de creationisten, die bijvoorbeeld stellen dat alle belangrijke veranderingen op aarde zijn bewerkstelligd door de zondvloed. Hun theorieën zijn de laatste jaren niet houdbaar gebleken. Op dit moment is in Amerika een beweging in opkomst die het kan opnemen tegen de seculiere wetenschap van deze tijd. Het betekent hard studeren en eerlijk zijn.'

'Daarom had u vorige week belangstelling voor de Studiebijbel,' zegt Annelies.

'Jazeker, ik studeer elke dag een uur in de Bijbel, maar wat ik zeggen wil: 'U had die man goed door, ik kreeg het niet voor elkaar om hem te kalmeren, maar u wel, dat vind ik knap van u.'

'U hoeft geen u te zeggen en ik vond het juist knap van u dat u hem kalmeerde..'

'Jij hoeft ook geen u te zeggen.'

Ze beginnen allebei te lachen. 'Hoe is je naam eigenlijk?' vraagt hij.

'Annelies.'

'O, ik heet Frank.'

'Studeert u veel?'

'Jazeker, maar ik doe het graag.'

Hij kijkt haar nu recht in het gezicht en Annelies slaat haar ogen neer als ze zijn ogen ziet, want ze kan er op de een of andere manier niet tegen. Opnieuw voelt ze een vlaag van warmte door haar lichaam gaan en ze vraagt zich af of ze verliefd is. Als ze weer opkijkt, ziet ze opnieuw zijn ogen op zich gericht en ze kan geen woorden vinden.

'Hoe lang sta je hier?' vraagt hij.

'Tot het einde van de markt.'

'Ik moet nu een boodschap doen, vind je het goed dat we na markttijd nog even doorpraten?'

Annelies knikt, omdat ze het idee heeft dat er geen geluid uit haar mond wil komen.

'Goed, dat is dan afgesproken, dan ga ik nu weer.'

Annelies betrapt er zichzelf op dat ze hem nakijkt met de vraag in haar achterhoofd of hij zal omkijken. Hij doet het en steekt zijn hand op! En dan weet ze genoeg!

De rest van de morgen doet ze haar werk gedachteloos. Ze vindt het fijn dat er haast niemand bij de kraam komt en dat Linda weinig tegen haar zegt. Na markttijd helpt ze Linda de boeken in de dozen te doen en ruimen ze de andere spullen op.

'Ik doe de rest wel, ik moet toch op de auto wachten, je mag wel gaan,' zegt Linda. 'Zie ik je nog eens?' voegt ze eraan toe.

'Ik weet het niet, dan ga ik nu maar.'

En dan weet Annelies ineens niet goed wat ze moet doen, want Frank had gezegd haar aan het einde van de markttijd te ontmoeten, maar ze weet niet waar. Het probleem is snel opgelost, want ze ziet terwijl ze over de markt loopt, Frank al op haar afkomen. Vermoedelijk heeft hij haar in de gaten gehouden.

'Hallo Frank,' begroet ze hem.

'Dag Annelies.'

'Je hebt er toch op gerekend nog wat door te praten?'

'Jazeker.'

'Zullen we dat doen in 'De Roode Leeuw?'

'Mij best.'

'De Roode Leeuw' is een nette gelegenheid met klassieke achtergrondmuziek en een stijlvolle inrichting met degelijke meubels. Aan de wand hangt een groot schilderij van een leeuw met ernaast een lang geweer, dat blijkbaar vroeger gebruikt werd om op leeuwen te jagen. Frank neemt de jas van haar aan en hangt die aan de kapstok. Daarna vraagt hij waar ze wil gaan zitten. Ze laat haar ogen over de tafeltjes gaan, er is gelukkig niemand die ze kent, en ze ziet dat er nog een plaatsje vrij is bij het raam dat over het marktplein uitziet.

'Vind jij het goed om daar bij het raam te gaan zitten?'

'Prima, goed idee.'

Frank laat haar eerst een plaats kiezen en gaat dan tegenover haar zitten. 'Ziezo,' zegt hij, 'nu kunnen we elkaar in de ogen kijken.'

'Ik wil wel ergens anders gaan zitten,' dreigt ze, terwijl ze hem niet aankijkt.

'Dat hoeft nou ook weer niet, maar je kunt toch niet naast elkaar gaan zitten?'

'In de auto kun je heel goed een gesprek voeren als je naast elkaar zit, waarom dan in een café-restaurant niet?'

'Heb je daar ervaring mee?' informeert hij belangstellend, 'je bent toch niet verloofd? Ik wil niet uitgaan met een meisje dat verloofd is.'

'Nee,' zegt ze, 'ik heb geen vriend meer.'

'Dat 'meer' zegt me genoeg, het betekent dat we rustig kunnen blijven zitten en een goed gesprek kunnen voeren.'

'Dat moet nog blijken.'

'Aan mij zal het niet liggen,' zegt Frank, terwijl hij haar weer in de ogen kijkt.

'Dame en heer, wat zal het zijn?'

Zonder dat ze het in de gaten hadden, is een bediende bij hun tafeltje komen staan. Annelies kijkt Frank aan, die haar op zijn beurt vraagt wat ze wil. 'Koffie,' zegt ze. Op zijn vraag of ze er iets bij wil, schudt ze haar hoofd. Ze moet nog denken aan de vorige week toen ze met Harm was en koffie en gebak nam en daarom wil ze het nu niet. Frank bestelt ook koffie. Annelies ziet dat Frank haar opneemt.

'Wat zit je me te bekijken,' zegt ze, een beetje kattig.

'Nou, nou, ik mag toch wel naar je kijken? Ik vind dat je een knap gezicht hebt.'

Annelies voelt dat ze rood wordt en toch heeft ze een antwoord paraat. 'Iemand met jouw levensinstelling zou moeten weten dat een knap innerlijk boven een knap uiterlijk gaat.'

'Zeker weet ik dat, maar daarom is het nog wel leuk om naar een knap gezicht te kijken.'

'Maar je weet niets van mijn innerlijk.'

'Meer dan je denkt. Zo weet ik bijvoorbeeld dat je je in je vrije tijd inzet om te evangeliseren, ik weet dat je gemakkelijk een gesprek aanknoopt met mensen en ik weet dat je verstand van boeken hebt, dat is toch al heel wat, lijkt me.'

'Ik ben zegge en schrijve drie keer weggeweest om te evangeliseren en ik was maar het hulpje van een ander.'

'Had je er plezier mee?'

Ze haalt haar schouders op. 'Ik denk niet dat ik het nog vaker doe. Wat weet je nog meer van me?'

'Waarschijnlijk ben je een refo, omdat je een rok draagt.'

'Klopt, maar je weet niet waar ik vandaan kom, hoe ik precies over geloof denk en wat mijn hobby's zijn.'

'Daar kom ik vanzelf achter.'

Opnieuw bloost ze en ze wil 'akelige vent' roepen, maar ze weet zich op tijd in te houden. In plaats daarvan vraagt ze: 'Hoe weet je dat?'

'Dat heb jij indirect gezegd door met me mee te gaan en ik zie aan je gezicht dat je die kennismaking helemaal niet erg vindt.'

'Mispunt!' roept ze, net iets te hard. Snel doet ze haar hand voor haar mond en kijkt ze om zich heen naar andere bezoekers. Een enkeling kijkt even op, maar eet dan weer door, niets bijzonders dus.

'Nu weet ik dat je niet alleen spontaan bent, maar soms ook heel verkeerde dingen zegt, want ik ben geen mispunt. Integendeel, ik ben een ijverige student die heel nuttig is voor de maatschappij.'

'Waar ben je dan mee bezig?'

'Volgens mij heb ik al eerder gezegd dat ik me bezighoud met een studie Engels aan de universiteit en daarnaast heb ik belangstelling voor theologie, dus ik denk niet dat ik mijn tijd nutteloos doorbreng. Over een paar jaar hoop ik klaar te zijn en ergens als leraar te beginnen.'

'En daarvoor zoek je nog een partner, begrijp ik.'

'Ja, dat kun je wel zeggen, maar ik neem niet met de eerste de beste die ik tegenkom genoegen, ik zoek een partner met karakter.'

'En heb je die al gevonden?'

'Misschien.'

'Dan kan ik wel weer gaan,' en dit zeggend staat Annelies op en neemt een paar stappen. Hij is direct bij haar en pakt haar bij de arm. 'Annelies, zo had ik het niet bedoeld,' zegt hij heel serieus.

Ze lacht vermaakt en zegt: 'Ik wil wel weer teruggaan naar mijn zitplaats, als het jou tenminste duidelijk geworden is dat ik niet een product ben dat je op zicht meekrijgt. Ik wil een fatsoenlijk gesprek voeren.'

'Dat wil ik toch ook? Het is gebleken dat jij iemand met karakter bent. Je moet maar het lef hebben om midden in een gesprek op te staan en weg te lopen! Ga zitten en vertel eens iets van jezelf.'

Nadat Annelies wat van haar koffie gedronken heeft, die inmiddels gebracht is, vertelt ze over zichzelf en hij luistert zonder haar in de rede te vallen. Ze vertelt waar ze woont, over haar familie, over de boerderij en over de boekwinkel waar ze werkt. Aan het eind zegt ze: 'Vertel jij nu eens iets over jezelf.'

Frank vertelt dat hij altijd graag gestudeerd heeft en dat hij enkele jaren geleden tot bekering gekomen is. Zijn vader is leraar Engels aan een christelijke middelbare school. Van hem heeft hij de belangstelling voor studie en talen geërfd. Zijn moeder heeft, naast de zorg voor hem, nog drie andere kinderen onder haar hoede, 'mijn vader niet meegerekend,' voegt hij eraan toe, waarna zij begint te lachen. Hij reist altijd met de trein naar de universiteit, dat is gemakkelijk tegenwoordig, omdat studenten een OV-kaart hebben, zodat ze gratis reizen.

'Je kunt zo dadelijk wel even meelopen naar mijn huis, dan kun je kennismaken,' stelt hij voor.

'Hallo, dat hoeft nou ook weer niet!'

'Moet je vroeg thuis zijn?'

'Nee, dat niet, maar om nu...'

'Maak je liever een wandeling door de stad?'

Ze kijkt eens naar buiten en ziet dat het nog steeds guur weer is en ze schudt haar hoofd. Ze denkt eraan dat ze met de auto is en dat ze Frank zou kunnen voorstellen een eindje met de auto te gaan rijden, maar om de een of andere reden wil ze het niet, het gaat allemaal te snel...

'Dan zitten we in een impasse,' zegt hij.

'Vind je?'

'Weet jij dan wel hoe het verder moet?'

'O, best, we zitten hier prima en ik ga zo meteen naar huis, dus ik zou niet weten in welke impasse we zitten.' Annelies vindt het vermakelijk dat het initiatief nu bij haar ligt.

'Wil je echt gaan?'

Annelies hoort de verschrikte klank in zijn stem en ze heeft heimelijk plezier. Toch blijkt dat ze hem onderschat, want Frank stapt zonder iets te zeggen op, een verraste Annelies achterlatend. Ze vraagt zich af of hij nu boos is en of ze hem achterna moet gaan, maar dan ziet ze dat ze zich niet zo druk hoeft te maken, want Frank is naar de bar gegaan en bestelt iets, waarna hij lachend terugkomt. Hij is een uitstekend toneelspeler.

'Ziezo, als je dan niet naar buiten wilt of naar mijn huis,

dan moeten we hier maar blijven?'

'Wil jij hier de hele middag blijven zitten?'

'Tja, dat zal wel moeten, als jij niets anders wilt.' Hij steekt in een theatraal gebaar zijn beide armen omhoog en dan pas ziet Annelies een lachje bij zijn mondhoeken.

'Je bent echt een mispunt,' zegt ze, 'je doet gewoon waar je zelf zin in hebt zonder je van mij iets aan te trekken.'

'Dat is niet waar, ik heb me heel veel van jou aangetrokken, je wilde niet naar mijn huis en dat doen we ook niet, je wilde niet naar buiten en dat doen we ook niet, ik luister heel precies naar jou en kies voor de enige overgebleven oplossing.'

Opnieuw verwondert Annelies zich over zijn snelle manier van reageren, blijkbaar zit hij nergens mee.

Als er voor hen beide vruchtensap is neergezet vindt ze het niet erg dat hij over de tafel heen haar vingers aanraakt en streelt, integendeel het doet haar goed en het lijkt alsof ze al heel lang samen geweest zijn.

'Zal ik naast je komen zitten?' vraagt hij daarna op zachte toon.

Annelies knikt en het geeft haar een goed gevoel als Frank naast haar zit en zijn hand over de hare legt. Ze voelt hoe hij haar vingers een voor een streelt en ze ondergaat het met een rilling over haar rug en een warm gevoel in haar buik.

Ze trekt haar been niet terug als ze de zijne voelt.

De middag is nog lang...

12

Annelies voelt zich gespannen, omdat Frank deze maandagmiddag bij hen zal komen. Ze heeft hem uitgelegd waar ze woont en ze is benieuwd wat hij van de boerderij zal vinden. Frank is zo'n aparte! Annelies vraagt zich af of hij bij hun gezin zal passen, omdat hij echt iemand uit de stad is. Even schiet een pijnlijke herinnering aan Peter door haar heen, die ook uit de stad kwam en eerst niet geaccepteerd werd. Frank lijkt een beetje op hem, maar hij is toch heel anders. Hij is niet zo banaal als Peter, die haar zo maar om de hals vloog en die altijd haar lichaam wilde. Zo fijngevoelig als Frank haar vingers streelde, zou Peter dat niet doen.

Annelies zag er tegenop om thuis te vertellen dat Frank zou komen, omdat ze negatieve reacties verwachtte en daarom heeft ze dat uitgesteld tot vanmorgen tijdens het ontbijt. Haar ouders zeiden niet veel. Haar moeder vroeg waar Frank vandaan kwam en of hij naar de kerk ging. Ze was redelijk gerustgesteld, toen ze vertelde dat hij elke zondag twee keer naar de kerk gaat, maar ze durfde er niet bij te zeggen dat hij studeert aan een universiteit. Dat deed ze pas toen haar vader verder vroeg. Hij vond het maar heel gewoon blijkbaar, want hij zei er niets van. Ze was opgelucht dat haar ouders alles zo positief opvatten.

Annelies kijkt op de klok en merkt dat het al vijf minuten later is dan is afgesproken en ze vreest al dat Frank een ongeluk heeft gehad. Nog vijf minuten later hoort ze dat er een auto over de zandweg aankomt en daarna ziet ze een klein groen Peugeotje het erf oprijden. Annelies is juist snel genoeg om hem te begroeten als hij uitstapt. Hij draagt een sportief jack, een spijkerbroek en stevige zwarte schoenen.

'Dag Annelies,' is het eerste wat Frank zegt, 'wat woon

je hier mooi, zo aan de bosrand en aan een zandweg, het lijkt wel een sprookje. Dat is nog eens iets anders dan in de stad, het is ongelooflijk! Alleen ruikt het hier niet lekker.'

'Dag Frank, ik denk dat je de varkens ruikt, dat zijn wij hier gewend, maar jij kent die lucht natuurlijk niet. Het mooie wonen heeft een keerzijde, waardoor het sprookje geen werkelijkheid wordt. Laten we eerst naar binnen gaan. Wacht ik zal mijn vader even roepen, die is in de varkensschuur bezig.'

'Ga jij dan niet stinken?'

'Dat valt wel mee, ik heb mijn oude kleren aan.'

Annelies zorgt er wel voor als ze haar vader roept niet verder te komen dan de buitendeur van de varkensschuur. Gelukkig ziet ze hem in de centrale voergang lopen en bemerkt hij haar direct. Hij komt meteen naar buiten in zijn laarzen en zijn blauwe overall, die ruikt naar de varkens en loopt naar Frank toe. Annelies houdt haar hart vast.

Frank laat zich niet kennen, hij beent dadelijk naar haar vader toe, maar die zegt: 'Wacht even, ik zal eerst mijn handen wassen, zulke fijne stadshanden zijn er niet op berekend.'

Nou, nou, denkt Annelies, haar vader mocht wel iets fijngevoeliger reageren of zou hij express zo doen, omdat Frank een negatieve indruk op hem maakt? Annelies en Frank volgen hem naar binnen, waar haar moeder bij de kamerdeur naar hen toekomt. 'Doe je overall maar gauw uit,' zegt ze tegen haar man, een beetje zenuwachtig. Haar moeder denkt natuurlijk dat Frank heel deftig is omdat hij studeert en ze wil niet dat er iets fout gaat.

'Zo, en dat is Frank?' vervolgt ze.

'Frank Verbeeke,' zegt de toegesprokene en steekt zijn hand uit. Moeder geeft hem een hand en zegt dan: 'Dat hoeft hier maar één keer, want wij zijn niet gewend om handen te schudden.'

'O, net zoals u wilt.'

'Jij kunt daar wel op die stoel gaan zitten,' zegt Annelies, als ze de kamer inkomen.

'Kan ik mijn jas ergens ophangen?'

'Natuurlijk, geef maar hier.' Annelies vindt zichzelf dom dat ze daar niet aan gedacht heeft, maar ze probeert dat niet te laten merken.

Als ze terugkomt uit de gang, ziet ze dat Frank de kamer in zich opneemt. Hij kijkt naar het schilderij aan de muur en naar de foto van haar opa die gestorven is en vervolgens blijft zijn blik op het computermeubel hangen.

'Hebben jullie de computer in de kamer?' vraagt hij.

'Jazeker,' zegt Annelies, 'hij is van mij, maar de jongens mogen hem ook gebruiken.'

'Dan moet ik straks je mailadres nog even overnemen, want dat heb ik nog niet, ik heb alleen het nummer van je mobieltje nog maar. Zit je vaak achter de computer?'

'Valt wel mee, soms werk ik achter de computer om dingen te doen waaraan ik niet toegekomen ben op mijn werk en soms msn ik wel eens.'

'Ik heb mijn handen gewassen,' komt vader de kamer binnen en hij steekt Frank zijn schone hand toe.

Die staat netjes op om een hand te geven.

'Ruik ik nu nog naar de varkens?'

'Eerlijk gezegd nog wel een beetje,' geeft Frank aan.

'Ja, dat zal wel, boeren ruiken altijd naar het vee, daar moet je maar aan wennen.'

Annelies ziet dat Frank een beetje trekt met zijn neus, blijkbaar is hij nog niet helemaal aan de geur gewend...

'Is er al koffie vrouw?' vraagt Annelies' vader, om te vervolgen: 'Mijn dochter zei dat u studeert aan een universiteit, toch zeker niet aan de Landbouwuniversiteit?'

'Nee, dat hebt u goed, ik studeer aan de universiteit in Utrecht.'

'En wat studeer je?'

'Engels meneer.'

'Ik ben geen meneer en ook geen u.'

'Hoe moet ik u dan aanspreken?'

'Zeg maar gewoon 'je', dat zegt iedereen hier.'

'Nee, dat doe ik niet,' schudt Frank zijn hoofd. 'Ik vind het onfatsoenlijk om ouderen met 'je' aan te spreken.'

'Zoals je wilt. Je zei net dat je studeert aan de universiteit. Ik zeg er niets van, maar je moet wel stevig in je schoenen staan om niet meegevoerd te worden door de ideeën van tegenwoordig.'

'Jazeker, de hele maatschappij is vol onchristelijke ideeën, want dat bedoelt u toch, denk ik en dat is op de universiteit niet anders. Het gaat erom of je de Heere Jezus kent en als dat zo is kun je daar ook studeren.'

Annelies ziet dat haar vader knikt en er valt een pak van haar hart. Hij heeft blijkbaar nogal wat op met Frank, meer tenminste dan met Harm, die naar zijn mening te moderne ideeën had.

'Toch is de studie aan de universiteit heel belangrijk,' gaat Frank door, 'omdat kennis heel belangrijk is om het moderne denken te leren kennen en het ongeloof te kunnen weerstaan. We hebben niets aan domme mensen, met excuses voor uw beroep.'

'Niet in eigen kracht,' zegt moeder, die met de koffie binnenkomt.

'Natuurlijk niet, maar wie de Heere Jezus kent hoeft het niet in eigen kracht te doen.'

'Het belangrijkste is de leiding van de heilige Geest,' zegt moeder.

'Natuurlijk mevrouw, dat ben ik helemaal met u eens, zonder de leiding van de Geest gaat het niet.'

Annelies ziet er van komen dat het op net zo'n twistgesprek uitloopt als toen met Harm en ze gooit het over een andere boeg. 'Zeg Frank, zullen we straks de boerderij eens gaan bekijken of maak je liever een wandeling?'

'Het lijkt me allebei wel aardig, ik vind het hier heel bijzonder en ik wil best eens zien hoe een boerderij er tegenwoordig uitziet. Het is heel lang geleden dat ik op een boerderij geweest ben en een wandeling in de natuur is altijd mooi.'

Met deze opmerkingen is het gesprek van zijn spanning ontdaan en daarna praten ze rustig over de mooie omgeving en de moeite van het boerenbestaan. Als ze de koffie ophebben vraagt ze of haar vader ook meeloopt.

'Ja, dat is goed,' antwoordt die.

Ze lopen met z'n drieën naar de ligboxenstal, waar de koeien achter het hek rustig liggen te herkauwen.

'Het is hier wel vredig, maar het ruikt niet lekker,' zegt Frank.

'Ach joh, wat maakt dat uit,' vindt Annelies.

'Koeien ruiken altijd, ik merkt er niets meer van, maar ik kan me voorstellen dat iemand uit de stad aan de lucht moet wennen,' zegt haar vader.

Frank is gauw uitgekeken, hij vindt de tractor nog het boeiendste, maar ook die heeft niet zijn echte interesse. Annelies merkt dat hij geen boerenhart heeft, maar dat wist ze eigenlijk al en dat hindert niets, zo houdt ze zichzelf voor.

'Kent u al die koeien?' vraagt Frank als hij een rondje over de deel gelopen heeft.

'Ja natuurlijk, het zou een mooie boel zijn als ik die niet zou kennen, net zo iets als een meester die de kinderen van zijn klas niet uit zijn hoofd kent of een dominee die de mensen die bij hem naar de kerk gaan niet kent.'

'Maar die koeien lijken allemaal zo veel op elkaar.'

'Dat valt mee hoor, ze zijn op deze boerderij wel allemaal zwartbont, maar er zijn grote verschillen, moet je maar eens naar de figuren op hun rug kijken, sommige hebben veel wit en andere juist niet. Ik zou zeggen dat een koe veel makkelijker te herkennen is dan een mens.'

'Voor wie het niet gewend is, kan het moeilijk zijn.'

'Nou, dan moet je eens kijken naar die koe die hier vooraan loopt. Zie je dat de zwarte kleur van zijn vlekken iets lichter is dan van die koe ernaast?'

'Kan, ja, ja.'
'En zie je dat de vlekken op het lijf wel iets lijken op de Zeeuwse eilanden?'
'Nu u het zegt!'
'Nou, moet je nu eens kijken naar die koe ernaast, die heeft niet alleen donkerder vlekken, maar ze zijn ook meer aaneengesloten. Dan heb ik het nog helemaal niet over de koppen gehad, die lang niet eender zijn, moet je eens kijken hoe verschillend de oren zijn.'
Annelies ziet dat Frank geïnteresseerd luistert en ze is best trots op haar vader die een student nuttige dingen over koeien weet bij te brengen.
'Hebben uw koeien namen?'
'Alle koeien hebben een nummer en ik ken al die nummers, sommige oudere koeien waar ik aan gehecht ben heb ik een naam gegeven, zoals Annie of die koe met die witte kop, die de witmuts heet, oh ja en die koe met die vlekken die lijken op de Zeeuwse eilanden heb ik Zeeuwtje genoemd. Het dier is niet zo jong meer en begint bewegingsproblemen te krijgen. Tot nu toe gaf ze een redelijke hoeveelheid melk, maar ook dat begint te minderen en daarom heb ik besloten haar te verkopen, wat me geweldig aan het hart gaat. Kijk, ze loopt ook niet goed.'
'Mankeert die koe iets?' vraagt Annelies.
De koe loopt nu dicht bij het voerhek, waar de boer zijn hand doorheen steekt. Eerst gaat ze met de kop naar de boer toe, maar dan beweegt ze met de oren en gaat de kop met een ruk naar rechts, zodat Frank er een beetje van schrikt.
'Wat is die koe van plan?' vraagt hij.
'Het dier is niet in orde, het loopt stijfjes en het slaat zo vreemd met de kop, net alsof het zenuwachtig is, daarom doe ik het weg,' verklaart Annelies' vader. 'Zag je hoe de oren bewogen? Vroeger kwam het gewoon naar me toe en snuffelde het aan mijn hand.'
'Ik wist niet dat koeien ook zenuwachtig konden zijn, ik

dacht dat dat alleen iets was voor mensen. Weet u hoe het komt dat ze zo zenuwachtig is?'

'Ze heeft vroeger veel melk gegeven, dus ik vermoed dat ze uitgeput is, maar ik moet zeggen dat ik ook wel koeien gehad heb, die meer gaven en ouder werden. Ik begrijp dus niet goed waarom ze zo met de oren beweegt. Het is net als met mensen, je begrijpt niet alles.'

'Zeeuwtje, wat een naam,' mompelt Frank, om te vervolgen: 'Houd u van koeien?'

'Wat dacht je dan? Veel koeien melk ik jaren en ik krijg er een band mee. Op het moment dat je ze wegdoet, wordt die band verbroken en dat is best moeilijk. Met koeien heb je natuurlijk niet zo'n sterke band als met honden of paarden, maar ik hecht op de een of andere manier wel degelijk aan m'n koeien.'

'Aan uw varkens ook?'

'Minder, die ken ik niet allemaal, varkens blijven maar een maand of vier op het bedrijf en dan worden ze geslacht. Je hebt er ook niet zoveel mee te maken, omdat je die niet meer hoeft te voeren. Dat gebeurt automatisch met een vijzel. Ik loop wel elke dag langs de hokken om te controleren of de varkens goed vreten en of er geen zieke zijn en ik vind varkens zeker niet vies zoals sommigen vinden. Het zijn heel slimme dieren, slimmer dan koeien en ze zijn ook zindelijker.'

'Ik vind die beesten zo stinken! Als ze varkens zouden uitvinden die niet stinken dan zou ik er heel anders tegenaan kijken,' antwoordt Frank.

'We kunnen nog wel even een kijkje in de melkput nemen,' zegt Annelies' vader.

Bij het zien van de melkput, de keurig schoongemaakte tegels, de hangende melkstellen en de grote melktank, schudt Frank verbaasd zijn hoofd. 'Hier heb ik me helemaal niet in verdiept, je leest wel eens wat over melktanks en zo, maar ik had er geen idee van hoe alles er precies uitziet. Ik zal nooit meer zeggen dat boeren domme mensen zijn.'

'Dan weet je zeker ook niets over de boekhouding die boeren moeten bijhouden?'

'Jawel, dat valt mee, de boeren mogen niet meer dan een bepaald aantal liters melk leveren per jaar, een quotum. Het is net zoiets als bij de vissers, die een visquotum hebben. Nou ja, jullie hebben ook nog een mestquotum.'

'Ja, dat is een heel ingewikkeld verhaal, de mestboekhouding heeft me grijze haren bezorgd. Boeren is heel anders dan vroeger, een boer is tegenwoordig een manager die overal verstand van moet hebben.'

'Ja, dat volg ik wel zo'n beetje in de krant. Wat trekt u dan aan om boer te zijn?'

Annelies ziet dat haar vader emotioneel wordt als hij zegt: 'Mijn vader was boer en mijn opa en mijn overgrootvader en het hele voorgeslacht lang daarvoor. Dacht je dat ik ineens die traditie wil verbreken? Mijn vader zei vroeger dat boer het mooiste beroep is dat bestaat omdat hij helemaal eigen baas was en werkte in de vrije natuur. Hij vond het niet nodig om op vakantie te gaan, omdat naar zijn zeggen een boer altijd vakantie had. Er is natuurlijk wel iets op af te dingen, omdat een boer ook altijd gebonden was aan de melk- en voertijden, maar toch... Die tijd is voorgoed voorbij. Boeren zijn moderne ondernemers, die overal verstand van moeten hebben en zakelijk moeten opereren om hun beroep te kunnen blijven uitoefenen.'

'Zou u, als u nu moest kiezen, een ander beroep kiezen?'

'Dat kun je niet zeggen, maar ik zal in ieder geval mijn kinderen niet adviseren om boer te worden. Annelies is het ook beslist niet van plan, die heeft haar hart verloren aan boeken en nou ja... Wat Wim en Gert gaan doen, weet ik nog niet, maar ik zie hen niet op de boerderij terechtkomen en ik vind het prima als ze een ander vak leren.'

'Toch moet het voor u moeilijk zijn.'

'Dat kun je wel stellen, het is in ieder geval heel moeilijk geweest. Toen mijn kinderen jong waren, hoopte ik dat ze boer zouden willen worden, maar nu reken ik er niet meer op en ik hoop er zelfs niet meer op. Ik vind het nog wel eens jammer en soms vraag ik me af waar ik mee bezig ben als ik het niet doe voor mijn kinderen, maar ja...'

'Wat vindt u van een studie Engels?'

'Engels is de wereldtaal, leraren Engels moeten er zijn en ja, ik heb zelf ook familie in Canada, mensen die een jaar of dertig, veertig geleden geëmigreerd zijn. Hun kinderen spreken Engels en het is gemakkelijk als je met hen kunt praten. Ik kan dat niet en laat het onderhouden van de contacten met de Canadese familie aan Annelies over die altijd van studeren heeft gehouden.'

'Ik wist niet dat je goed in Engels was,' wendt Frank zich tot haar.

'Je hoeft ook niet alles te weten, maar om op je vraag in te gaan, ik was op de havo altijd goed in talen en daar hoort ook Engels bij.'

'Dus ik hoef je geen bijles te geven?'

'Asjeblieft niet.'

Ze lopen via de achterdeur van de ligboxenstal naar buiten, waar drie grote voerkuilen zijn. 'Waar zijn die voor?' vraagt Frank direct.

'Er zijn twee graskuilen en de derde kuil is een maïskuil. Ja, ja, de koeien hebben heel wat nodig om de winter door te komen.'

'Voer halen lijkt me wel een leuk werkje.'

'Dat is het, Wim doet het graag en ook Gert doet het niet tegen zijn zin. Aan dit werk zie je hoe groot de veranderingen in het boerenbedrijf zijn geweest. Toen ik jong was, werkte mijn vader nog met een paard. Toen kwamen er trekkers, al maar groter en met steeds meer pk's en ook de machines deden hun intrede in het boerenbedrijf. Ik ben wel blij dat die machines er zijn, want je kunt al het werk niet met de hand doen, maar het is wel allemaal anders geworden. Een van de weinige werkzaamheden die ik nog met de hand doe is het grond afgooien van de kuil. Het voeren van het vee gaat grotendeels machinaal. Als je naar de varkens kijkt: mijn vader moest vroeger met een emmer vol slobber elk hok varkens voer geven. Later kwamen er voermachines, die de brokjes in de zeuning transporteerden, terwijl er in de hokken zelf drinknippels waren, waarvan de varkens konden drinken. Tegenwoordig brengen vijzels het voer van de silo's naar de voerbakken, zonder dat er een mensenhand aan te pas komt. Computers zorgen ervoor dat het op de juiste tijd en in de juiste hoeveelheden gebeurt.'

'Dus u kunt ook met een computer omgaan?' vraagt Frank verbaasd.

'Je zult wel moeten, zonder computer redt niemand het meer denk ik, de hoeveelheden voer voor de vijzel moeten tenslotte wel goed ingesteld worden.'

'O, ik dacht dat...'

'Je dacht dat boeren dom waren?'

'Nee, dat wist ik inmiddels wel beter, maar ik dacht dat boeren geen computer gebruiken. Als ik het goed begrijp, is Annelies een slimme dochter van een slimme boer.'

'Zoiets ja.'

'En wat zit er in die grote groene plastic zakken die daar achter de kuilen liggen?'

'Ik heb die grote balen expres een beetje verstopt, omdat ik het zo'n lelijk gezicht vindt. O, ja, je vroeg wat er in zit, dat is hooi.'

'Ik heb in de krant wel eens plaatjes van hooibalen gezien, maar die waren toch veel kleiner?'

'Waren ja, maar op de boerderij heeft de tijd niet stil gestaan, zoals je inmiddels weet.'

De drie blijven even staan kijken naar de kale winterse weilanden en het bos erachter.

'Is het bos groot?' wil Frank weten.

'We kunnen wel een wandeling gaan maken,' stelt Annelies voor.

'Je komt nog maar eens weer kijken,' zegt Annelies' vader tegen Frank als de twee samen verder lopen.

Annelies voelt zich een beetje onwennig als ze de inrit uitlopen. Ze komen dan wel niet langs het huis van Peter, maar toch bestaat de kans dat hij hen zal zien. Peter is weg uit haar leven, hij heeft het er zelf naar gemaakt en het is voorgoed afgelopen!

'Wat ben je stil,' merkt Frank op.

'Wat moet ik dan zeggen?'

'Ik zou zeggen: vertel me eens iets van het landschap.'

'Met alle plezier, je weet dat ik van de natuur houd en ik vertel je graag over de omgeving. Ik maak vaak een fietstocht of een wandeling in de buurt.'

'Dat snap ik, het is hier zo mooi!'

'Dat hier een zandweg is en geen verharde weg heeft te maken met een vroegere adellijke heer die alle boerderijen en landerijen in bezit had. Hij was tegen vernieuwingen en wilde graag dat er zo weinig mogelijk veranderde. Dat lukte slechts gedeeltelijk, maar door zijn behoudzucht is er wel veel natuur bewaard gebleven. Moet je eens kijken wat een mooie houtwal er naast het pad is, met eiken, elzen, hazelnotenstruiken en meidoorns. Jij herkent de bomen en struiken misschien niet, omdat ze geen bladeren hebben, maar ik ken ze ook aan de schors en aan de vorm van de takken.

'Je bent een echt buitenmeisje,' zegt Frank en geeft haar een hand.

'Hier aan de rand van de sloot bloeien in het voorjaar bosanemonen,' vervolgt ze.

'Wat zijn dat?'

'Weet je niet wat dat zijn? Nou, bosanemonen zijn mooie witte bloemen die in het voorjaar bloeien. Meestal staan ze in polletjes bij elkaar. Ze bloeien ongeveer gelijktijdig met en ook wel op dezelfde plaatsen als speenkruid, waarvan de bloemetjes een gele kleur hebben.'

'Lijken die op boterbloemen?'

'Daar lijken ze iets op, maar verder zijn ze heel anders.'

Annelies heeft er wel plezier in om Frank, die zich heel

leergierig toont, van alles over de natuur uit te leggen en ze blijft maar doorpraten over de wonderen van de natuur. Op een gegeven moment zien ze een ekster op een paal in het weiland zitten en dan blijkt dat Frank toch wel iets weet.

'Het valt me van je mee, ik dacht dat je helemaal niets wist van de natuur.'

'O, dus ik val je ook nog eens mee? Als mevrouw dan maar weet dat ik haar een heleboel zou kunnen leren over de stad, maar toen ik je vroeg om mee te gaan, wilde je niet. Je vindt het wel leuk om tegen mij op te scheppen over alles wat je weet, maar ik denk dat je in de stad lelijk door de mand zou vallen als ik zou gaan praten over allerlei soorten gebouwen en bedrijven en dergelijke.'

'Ik ben ook heel leergierig hoor,' zegt Annelies en ze kijkt in de heldere ogen van Frank.

Annelies heeft een hand in de zak van haar jas gelaten, omdat het koud is. Zijn hand, die Annelies' andere hand vasthoudt, is duidelijk smaller dan die van Peter.

'Als je hand te koud wordt, wisselen we wel van plaats of wil ik hem wel warm maken,' zegt Frank.

'Ik ben wel wat gewend hoor,' zegt Annelies.

'Ja, jullie op het platteland zijn meer gewend dan de mensen in de stad, ik hoef alleen maar aan de varkenslucht te denken. Ik zou niet graag willen dat er in de stad zo'n lucht zou hangen.'

'Ach man, daar hangt altijd een lucht van benzine en uitstoot van fabrieksschoorstenen, dat is heel wat erger dan de lucht van varkens. Laat mij maar hier blijven.'

'Zou je niet in de stad willen wonen?' vraagt Frank, opeens ernstig.

'O jawel, misschien wel, maar ik denk dat ik er wel grote moeite mee zou hebben, ik ben hier op het platteland opgegroeid en ik houd van de buurt en van de mensen die hier wonen. Ze zijn zoveel gemoedelijker dan de mensen in de stad. Je kent de mensen, je steekt de hand tegen hen op als je hen ziet of je maakt een praatje en dat doe je in de stad niet zo gemakkelijk.'

'In de stad heb je alles bij de hand. Als ik een boek nodig heb, ga ik naar de vakboekhandel.'

'Je moet niet beledigend worden, ventje, want ik werk in een boekhandel in een klein stadje.'

'Ja, maar dat is heel iets anders dan een boekhandel in de grote stad,' zegt hij, nog steeds serieus.

'Ach man, ik ben in een kwartier ook in die grote stad of ik bestel gewoon via internet.'

'Neem een concert, daarvoor moet je wel in de grote stad zijn.'

Annelies, die geen zin heeft om er verder over te praten, zegt: 'Ja, maar daar zijn we nu niet, flappie.'

'Och, ik ben weer veel te serieus bezig,' zegt hij, om direct daarna te vervolgen: 'Zullen we een stukje rennen om warm te worden?'

Annelies rukt haar hand los en begint direct te rennen, zodat ze hem voor is. Ze heeft gelukkig stevige schoenen aan en ze is van plan te laten zien wat ze kan. Dat gebeurt ook wel, maar ze is duidelijk geen partij voor Frank die haar heel snel ingehaald heeft, een eind doorloopt en in de verte op haar blijft wachten.

'Valt me tegen,' is zijn commentaar.

Annelies, die blij is dat hij zo sportief is, zegt hijgend: 'Valt me mee van je, ik had niet gedacht...'

Midden in de zin houdt ze op met praten en kijkt ze verschrikt naar de schapenstal, die ze nu pas ontdekt.

'Wat is er met jou?' vraagt Frank, die er niets van begrijpt.

'O niets, het is alweer over. Waar hadden we het ook alweer over?'

'Je zei net dat je niet had verwacht dat ik...'

'Gunst, ik weet echt niet meer wat ik niet van je verwacht had.'

'We hebben net gerend.'

'Ja, dat weet ik en toen kwamen we hier en wat zei ik toen?'

'Toen zei je: 'Valt me mee van je, ik had niet verwacht...'
'Ik weet het echt niet meer, maar wat doet het er toe?'
'Ik vind het vreemd dat je ineens niet meer weet waarover je het hebt, je bent toch niet dement?'
Annelies kijkt in zijn gezicht en ze ziet dat hij lacht, gelukkig maar.
'Wat me net opviel is dat je ineens van heel blij en spontaan veranderde in verschrikt. Voor mij betekent het dat je ineens aan iets heel vervelends dacht. Je kunt het gerust tegen mij zeggen, want ik ben er niet alleen voor de mooie momenten.'
'Er is niets,' houdt Annelies vol, maar ze voelt dat ze in verwarring raakt.
'Jawel, er is iets, Annelies, ik zie het aan je ogen en ik wil je echt helpen.'
'Ach joh.'
'Heeft het met die schuur te maken?' vraagt Frank die de blikrichting van haar ogen volgt.
'Ach joh, ik moet jou niet met mijn problemen lastig vallen.'
'Annelies, wat is er?'
Annelies voelt ineens de tranen bovenkomen, ze kan er niets aan doen, het gebeurt zomaar. Vlug pakt ze een zakdoek uit haar jaszak en boent ermee over haar ogen en haar gezicht.
'Wat is er dan?' De stem van Frank klinkt bezorgd.
'Ach joh, het is niets, ik moest alleen denken aan vroeger.'
'Wat is hier dan gebeurd?'
'O, een vroegere vriend van me...'
'Wat was daarmee?'
'O, hij wilde, ik wil er niet te veel van zeggen, het had met seks te maken, hij wilde iets en ik wilde het niet, ik begin weer bijna te huilen, ik begrijp niet hoe het komt, want dat overkomt me eigenlijk nooit, ik moet me gewoon niet zo aanstellen.'

'Het kan heel goed voor je zijn om uit te huilen hoor. Heb je veel meegemaakt?'

'Valt wel mee, als ik in boeken lees hoeveel mensen soms meemaken, dan heb ik niets meegemaakt, maar het is natuurlijk wel zo, dat je je eigen sores het beste voelt.'

'Had je lang verkering met die jongen?'

'Lang genoeg om te denken dat het echt wat was tussen ons. Hè, wat akelig, nou begin ik weer bijna.'

'Dus je hield echt van hem?'

'Ja, wat dacht je anders, zie je mij ervoor aan dat ik met een jongen ga lopen van wie ik niet echt houd?'

'Nee, zo bedoel ik het niet, maar als iemand verkering krijgt, weet hij niet direct of hij echt van de ander houdt. Je gaat met elkaar om en je relatie verdiept zich of juist niet. Als je relatie steeds losser en oppervlakkiger wordt, dan weet je dat je er niet mee moet doorgaan, maar dat je moet stoppen. Hoe je dat moet doen is een ander verhaal.'

Annelies hervindt zichzelf, ze kijkt Frank aan en zegt: 'Nou, nou, jij hebt er verstand van!'

'Dat kun je wel stellen, er zijn in mijn leven ook diverse teleurstellingen geweest.'

Ineens gooit Annelies eruit: 'En nu denk je de ware gevonden te hebben?'

Ze ziet zijn ogen oplichten, maar zijn stem blijft beheerst als hij zegt: 'Dat hoop ik, ik zou wel graag de kans krijgen om onze relatie te verdiepen. Wil je mij die kans geven Annelies?'

'Die kans geef ik je toch al jochie.'

Hij komt langzaam naar haar toe, legt in een beheerst gebaar zijn armen om haar nek, zegt : 'Dank je wel,' om haar vervolgens een lange kus op de lippen te drukken en dan bestaat de wereld niet meer voor haar en ze drukt haar lichaam tegen hem aan.

Kan zij er wat aan doen dat ze even denkt dat Peter haar een kus geeft?

13

Annelies zit in de kamer te computeren als de telefoon gaat. Omdat er op dat moment niemand anders is, neemt ze op en dan blijkt de veearts aan de lijn te zijn, die naar haar vader vraagt. Ze hebben een draagbaar apparaat dat ze meeneemt naar buiten. Gelukkig ontdekt ze haar vader al snel in de stal. Als ze de telefoon gegeven heeft, wil ze weglopen, maar ze hoort iets in de stem van haar vader dat haar aan het schrikken maakt en ze blijft staan. Hoort ze daar het woord bse? Nu wordt ze hevig ongerust en ze loopt naar haar vader toe om op een afstand van een paar meter te blijven staan.

'Weet u zeker dat de koe bse had?'

......

'Dus er is een snelle test gedaan en later nog een uitvoeriger test die het allebei aantoonden?

......

'Wat moet ik ermee aan?'

......

'Dus u komt morgenvroeg om de toestand te bespreken, het heeft dus geen haast op dit moment?'

......

'Ik zie hier dat mijn dochter staat te luisteren, hindert het als anderen er vanaf weten?'

......

'Nee, dat begrijp ik.'

......

'Dag.'

Haar vader drukt op de knop van de telefoon en kijkt dan naar Annelies.

'Je hebt zeker al begrepen wat er aan de hand is?'

'Ik denk het wel pa,' zegt ze voorzichtig en ze komt een stap dichter naar hem toe. 'Dus die koe die pas weggegaan is, had bse, als ik het goed begrijp?'

'Ja, het was Zeeuwtje, we hebben er pas nog met Frank bij gestaan, ik zei dat zij oud begon te worden en we hebben het er toen ook over gehad dat ze zenuwachtig was. Weet je nog dat Frank dat zo apart vond voor een dier? Nou, die dingen hadden achteraf gezien met de ziekte te maken. Je hebt er zo vaak over in de krant gelezen, maar je gelooft niet dat een koe van je eigen veestapel de ziekte krijgt. Tegenwoordig worden alle koeien die geslacht worden op bse gecontroleerd.'

'Wat is bse eigenlijk?'

'Het is een afkorting van een moeilijke naam die ik ook niet precies weet, maar de ziekte wordt ook wel de gekkekoeienziekte genoemd, omdat er in de kop van een dier dat de ziekte heeft iets niet goed gaat. Ze zeggen dat de hersenen van de koeien die bse hebben, niet goed meer werken en dat ze daarom soms niet goed lopen of raar gaan doen, zoals bewegen met de oren, likken met de tong of slaan met de kop.'

'Mensen kunnen de ziekte ook krijgen, hè?'

'Ja, dat is het gevaarlijkste, eigenlijk krijgen mensen een ziekte die een broertje of zusje van bse is, die ziekte heet Creutzfeldt-Jakob en ze kunnen die krijgen door het eten van besmet vlees en ze kunnen eraan sterven. In andere landen zijn er al heel wat mensen aan gestorven, daarom treden ze er zo rigoureus tegen op.'

'Dat deden ze toch vooral in het begin, nu maken ze toch niet meer alle koeien dood?'

'Nee dat niet, gelukkig niet, waar de ziekte in het begin kwam moesten alle koeien van het betreffende bedrijf gedood worden. Dat heeft een drama's opgeleverd! Maar vergis je niet, het zal hier ook wel een hele nasleep hebben. Er zullen wel allerlei mensen over de vloer komen om te controleren en de pers zal wel komen, is het niet de landelijke krant dan toch een plaatselijk blad. Ze zullen alle gegevens van de hele veestapel wel willen hebben, ik zal die eens gaan opzoeken. Wie weet hoeveel koeien er geruimd moeten worden. Het is niet eenvoudig om boer te zijn, je kunt gemakkelijker ergens in loondienst zijn en niet met zulke problemen te maken hebben. Maar goed, laat ik niet mopperen. Is mama er niet?'

'Nee, ze is weg en ook Gert en Wim zijn niet thuis.'

Annelies loopt naast haar vader de stal uit. Ze is in haar hart trots op hem. Ook al ziet hij het nu niet helemaal zitten, ze weet dat hij morgen en de komende dagen als er van alles te doen is, paraat zal zijn en intussen zijn werk op de boerderij niet zal vergeten. Ze weet ook dat hem niets te verwijten valt, maar ze vraagt zich af of hij dat ook zo voelt.

'Pa?' vraagt ze, 'krijgen de boeren wel eens de schuld van bse?'

'Nee, absoluut niet, ze denken tegenwoordig dat de ziekte ontstaat als de koeien diermeel binnenkrijgen, gemalen organen van besmette dieren. Die mogen al lang niet meer aan de koeien gevoerd worden, maar het wil nog wel eens gebeuren dat de veevoerfabrikanten er slordig mee omgaan. Meestal zijn het tegenwoordig oudere koeien die de ziekte krijgen, dieren die misschien al in hun jeugd iets verkeerds binnengekregen hebben. Daarom gaan ze heel precies onderzoeken waar de koe vandaan komt en wat zij in het verleden gevreten heeft en dan maken ze ook koeien die in vergelijkbare omstandigheden hebben verkeerd dood.'

'Alle mensen, is dat allemaal te achterhalen?'

'Sommige dingen wel, het is na te gaan welke eigenaars de koe tijdens haar leven gehad heeft en de veevoerfabrikanten zijn verplicht om een goede administratie bij te houden, waarin ze aangeven wat aan welke boer verkocht is.'

'U hebt Zeeuwtje toch al heel lang?'

'Dat is het hem juist, ik heb Zeeuwtje als kalfje opgefokt, dus de kans bestaat dat er meer dieren op mijn bedrijf besmet zijn. De hele veestapel hoeft dan wel niet meer geruimd te worden, maar een dier waarover twijfel bestaat, wordt afgevoerd, dus het kan best zijn dat we de halve veestapel kwijtraken.'

'Geen zorgen voor de dag van morgen, pappie.'

'Dat kun jij gemakkelijk zeggen.'

'Nou, er is toch niemand die er wat aan kan doen?'

Als ze op het erf lopen, ziet Annelies in het licht van de buitenlamp dat haar moeder aan komt fietsen.

'Vertel jij maar wat er aan de hand is, dat kun jij beter dan ik,' zegt haar vader.

Ze wachten naast elkaar tot haar moeder de fiets weggezet heeft.

'Zo, wat staan jullie daar naast elkaar?' vraagt Annelies' moeder.

'We kregen net bericht van de veearts,' zegt Annelies.

'Waarover dan?'

'Die zei dat Zeeuwtje bse had.'

'Bse?' De stem van moeder klinkt gejaagd en Annelies weet dat ze nu allerlei rampscenario's in haar hoofd krijgt. Ze probeert haar moeder een beetje gerust te stellen. 'Misschien hoeft er geen enkele koe geruimd te worden, want het is heel anders dan een paar jaar geleden, toen alle koeien weg moesten,' zegt ze.

'Nou ja, precies weet ik het niet, maar ik weet wel dat het niet niks is. Laten we eerst maar doorlopen, want het is te koud om buiten te blijven staan,' zegt moeder. Ze gaat koffie zetten, waarmee ze nog maar net begonnen is als Gert binnenkomt. Annelies hoort hem met haar moeder praten en ze is benieuwd hoe Gert reageert.

'Gert koffie?'

'Natuurlijk, maar waarom loopt u met een gezicht als een oorwurm?'

'Nou, net of er niets aan de hand is!'

'Wat is er dan?'

'Zeeuwtje, die we pas verkocht hebben, heeft bse.'

Gert fluit tussen zijn tanden. 'Dat is niet niks en nu

gaat er zeker een heel circus beginnen?'

'Loop maar door naar de kamer, ik heb voor jou ook koffie ingeschonken,' zegt zijn moeder zonder op zijn laatste vraag in te gaan.

Gert gaat op de bank zitten, legt zijn voeten op het tafeltje en vraagt aan zijn vader: 'Weet u al meer?'

'Nee, ik weet alleen dat Zeeuwtje bse had en dat ze een onderzoek beginnen. Morgenvroeg komt de veearts.'

'Zal ik morgenvroeg thuisblijven, zodat ik kan meehelpen als het nodig is?'

'Ik verwacht niet dat het nodig is. Een paar jaar geleden ontstond er altijd een heel tumult en kwamen er gelijk grote veeauto's die alle koeien oplaadden en wegbrachten en dan was de stal leeg, maar zo gaat het tegenwoordig niet meer. Ze moeten natuurlijk wel alle gegevens van de koeien en van het voer hebben. Ik heb het gelukkig allemaal redelijk goed voor elkaar, zodat ik me daar niet bezorgd over hoef te maken. Het belangrijkste is dat ze willen weten of Zeeuwtje diermeel binnengekregen kan hebben, omdat ze vermoeden dat bse overgedragen wordt door besmette organen. Die mogen wel niet aan koeien gevoerd worden, maar veevoerfabrikanten zijn niet altijd even precies. Ze hebben al jaren geleden maatregelen genomen, sinds de ziekte in Engeland in de jaren tachtig van de vorige eeuw is uitgebroken.'

'Wat betekent bse eigenlijk?'

De deur gaat open en moeder komt binnen met de koffie en Wim loopt achter haar aan.

'Wat is hier aan de hand?' vraagt hij, terwijl hij de anderen verbaasd aankijkt en een stoel pakt.

'Zeeuwtje, de koe die we verkocht hebben, heeft bse.'

'Echt? Dan ben je nog niet jarig!'

Terwijl moeder de kopjes neerzet en koeken uitdeelt, vraagt Annelies nog een keer wat de naam bse eigenlijk betekent.

'Het is een heel moeilijke naam die ik ook niet ken,

meestal zeggen ze gewoon gekkekoeienziekte en dan begrijpt iedereen wat je bedoelt.'

'Zal ik het eens opzoeken op internet?' vraagt Annelies.

'Dan zou ik op de site van het ministerie zoeken,' raadt haar vader aan.

'Ik typ het woordje bse wel even in bij Google.'

Als ze dat gedaan heeft, ziet ze dat ze op een bse-startpagina kan komen. Alle mensen wat is er veel nieuws over dat fenomeen! Ze weet zo snel niet welke site ze moet openen. Wacht, daar ziet ze een tijdschriftartikel dat gaat over de geschiedenis van bse. Even kijken, ja dat is net wat ze zoekt. Ze zal het artikel even uitprinten. Ondertussen is ze al beland op de site van het Ministerie van Landbouw waar ze de naam bse al gauw ontdekt. 'Het betekent Bovine Sprongiforme Encephalopathie.'

'Dat woord onthoudt natuurlijk geen mens,' zegt Gert.

Het artikel is uitgeprint en ze neemt het mee naar de anderen.

'Drink toch eerst je koffie op,' zegt moeder.

'Dit is een interessant artikel, ik zal wat dingen voorlezen,' zegt Annelies. 'Volgens dit artikel zijn bse en de ziekte van Creutzfeldt-Jakob broertje en zusje.'

'Dat is niets nieuws,' zegt Gert.

'Stil eens even, in de jaren vijftig van de vorige eeuw is voor het eerst een dergelijke ziekte geconstateerd en wel in Nieuw-Guinea. Het was een ziekte die via het centrale zenuwstelsel in de hersenen terechtkwam, een voor een bezweken de gezonde cellen, waardoor de hersenen in het fatale stadium nog het meeste leken op een grote spons. De ziekte die kuru genoemd werd, zou, zo constateerde de wetenschap achteraf, veroorzaakt worden door een kannibalistisch begrafenisritueel onder de inheemsen. Door sacrale consumptie van de hersenen van overleden dierbaren zou de ziekte ontstaan. Met het verbod op dergelijke gewoonten verdween de ziekte uit Nieuw-Guinea, maar intussen waren er al wel een paar duizend mensen aan gestorven.'

'Daar heb ik nog nooit van gehoord,' zegt Gert.

'Er is toen heel veel onderzoek verricht en het bleek dat de nieuwe ziekte bij dieren al eerder voorkwam. Een variant die bij schapen voorkomt is scrapie, waaraan VEEL dieren zijn gestorven.'

'Drink toch eerst je koffie op, anders wordt die koud,' zegt Annelies' moeder nog een keer.

'O hier staat dat een Amerikaanse onderzoeker in Nieuw-Guinea kuruweefsel bij chimpansees implanteerde, die de ziekte vervolgens verder ontwikkelden. Toen werd voor het eerst gewezen op de besmettingsgevaren. Er kwamen strenge regels voor het verwerken van kadavers in diervoedsel, maar het ging mis in Engeland, omdat daar de regels versoepeld werden. In 1985 werd de ziekte bse bekend, de vermoedelijke oorzaak was het voeren van koeien met besmet schapenvlees. Het aantal besmette koeien in het Verenigd Koninkrijk liep op tot een totaal van 170.000. Tegelijkertijd deden zich bij mensen gevallen voor van de ziekte van Creutzfeldt-Jakob. De vrees bestond dat het te maken had met het eten van besmet rundvlees en de rundvleesconsumptie liep terug.'

'Dat van Nieuw-Guinea had ik nooit gehoord, maar het meeste wist ik wel,' zegt vader. 'Toen in Nederland het eerste geval van bse bekend werd, gaf dat een geweldige consternatie, dat was op het bedrijf van een christelijke veehouder,' vervolgt hij.

'Ik zal even in het archief van de krant kijken of ik het artikel kan vinden,' zegt Annelies. 'De koffie is inmiddels toch al koud.'

Ze ontdekt dat er in totaal 1158 krantenartikelen zijn waarin het woord bse voorkomt en ze beseft dat het er weldra 1159 zullen zijn als er een bericht over hun boerderij bij zal komen. Hoe moet ze zoeken?

'Pa, weet u wanneer zich dat geval heeft voorgedaan?'

'Ja, dat is toch al wel wat jaartjes geleden, ik denk dat het in 1999 was, maar het kan ook wel vroeger zijn.'

Ze probeert nu te sorteren op jaar, maar dat lukt niet, want er komen nog steeds 1158 artikelen. Misschien heeft ze iets verkeerd gedaan. Wacht, ze zal beginnen met het eerste artikel, hopelijk levert dat wat op. Ze ziet dat er al in 1995, de jaargang die voor het eerst digitaal toegankelijk is, artikelen over bse verschenen zijn. Het gaat over Engeland en over het vernietigen van Engelse kalveren. Er staat een artikeltje tussen dat deskundigen geen verband zien tussen bse en de ziekte van Creutzfeldt-Jakob. Even later staat er weer dat de gekkekoeienziekte wel kan overslaan op mensen. Blijkbaar zijn de deskundigen het niet allemaal met elkaar eens. In 1996 is er gigantisch veel nieuws over bse: miljoenen Britten vegetariër door de gekkekoeienziekte, honderden mensen zullen overlijden aan bse. Ze klikt even aan om te kijken, het gaat om een onderzoek aan de universiteit van Edinburgh, waarin de vrees wordt verwoord dat veel mensen de ziekte van Creutzfeldt-Jakob zullen krijgen door het eten van met bse besmet rundvlees.

Aha, daar heeft ze het: artikel 245 heeft als kop: Gekkekoeienziekte ook in Nederland. Wacht, ze zal het artikel ook even uitprinten, dan kunnen ze het bekijken. Met het papier in haar hand komt ze terug bij de anderen.

'Zal ik het hele verhaal voorlezen?' vraagt Annelies.

'Doe maar de belangrijkste dingen, wanneer was het eerste geval eigenlijk?'

'Op 21 maart 1997 in Wilp. Ik zal wat stukjes voorlezen.'

> In het plaatsje Wilp, even ten zuiden van Deventer, is een geval van gekkekoeienziekte (bse) geconstateerd. Het gaat om een koe die niet is geïmporteerd, maar uit een Nederlandse veestapel komt. De bewindsman verwacht geen exportverbod voor Nederlands rundvee. De agrarische sector reageerde gisteravond geschokt op de ontdekking van het eerste geval van bse in ons land.
>
> Een aangeslagen Van Aartsen kwam gisteravond na afloop van

de wekelijkse ministerraad persoonlijk 'het meest beroerde bericht dat een minister van Landbouw kan brengen' aan de pers meedelen. Uitgebreid onderzoek heeft 'voor 100 procent zeker' vastgesteld dat de koe uit Wilp aan bse leed. Het bedrijf, een veehouderij met zestig stuks melkvee en vijftig stuks jongvee, is inmiddels door de AID van de buitenwereld afgesloten. Alle dieren zullen, waarschijnlijk vandaag al, worden geslacht en op bse onderzocht.

De koe, die ruim vijf jaar oud was, is tien dagen geleden geslacht, nadat een veearts bse-achtige verschijnselen had geconstateerd. Onderzoek van de hersenen heeft uitgewezen dat deze diagnose juist was.

'Staat er ook een reactie van de veehouder in?' vraagt vader.

'Dan moet ik even terug,' antwoordt Annelies.

Even later komt ze met het bewuste artikel en ze zegt: 'Ik zal wel iets voorlezen.'

'Ik kan alle gevolgen nog niet overzien,' vertelde de boer gisteravond geëmotioneerd door de telefoon. 'Het is een ramp, dat kan je wel begrijpen. Ik kan er verder nog niets van zeggen.' Rondom het bedrijf waren gisteravond talloze journalisten en cameraploegen samengestroomd. De veehouder voelde zich door deze mediagekte overvallen. De wijkdiaken kon de familie door de toestroom van de media niet bezoeken. Uit een telefoongesprek bleek hem duidelijk dat de veehouder 'getroffen is door een geweldige slag. Dat raakt ook onze kerkelijke gemeente,' aldus de diaken. Zondag zal in de kerk voorbede voor de familie worden gedaan. De politie heeft het gebied rondom het bedrijf afgezet. Alle personen en voertuigen die het terrein verlaten zullen worden ontsmet, zo heeft het ministerie van Landbouw besloten.

'Dat was het dan,' besluit Annelies haar verhaal.

'Ik meen me te herinneren dat er ook een uitgebreid verhaal over de ruiming in de krant stond,' zegt vader.

'Ik zal even zoeken,' zegt Annelies. Ze heeft het snel gevonden en leest er delen uit voor.

Langzaam rijdt de veetransportwagen achteruit. Het is net na het middaguur, de zon schijnt. Vlak bij de staldeur stopt de chauffeur. De klep wordt neergelaten. 'Een, twee, drie, hop', klinkt het. In witte pakken gestoken mannen drijven de zestig melkkoeien en vijftig stuks jongvee snel de twee vrachtauto's met aanhanger in. Op de dijk achter de IJssel bij Deventer proberen verslaggevers, fotografen en televisieploegen op een afstand van ruim honderd meter een glimp op te vangen van de trieste aftocht van de dieren. In het tussenliggende weiland staan ME'ers om al te opdringerige persmuskieten tegen te houden. Het is niet nodig. Iedereen kijkt toe. De serene stilte in de Wilpse Kleipolder wordt af en toe doorbroken door het klaaglijke geluid van een loeiende koe.

'Is het met die boer weer goed gekomen,' vraagt moeder.

'Ik denk het wel,' zegt vader, 'voor zover ik weet heeft hij later nieuwe koeien gekocht in Friesland. Als ik het verhaal nu hoor vertellen beleef ik het als het ware opnieuw. Ik had niet in de gaten dat het zolang geleden is, ik herinner het me nog als de dag van gisteren dat het geval zich voordeed en ik heb me vaak afgevraagd hoe ik zou reageren als het op mijn bedrijf zou gebeuren. Er zijn inmiddels tientallen bse-gevallen in Nederland geweest en gelukkig is het duidelijk geworden dat de boeren er niets aan kunnen doen. Ook is er niet zo'n consternatie meer.'

'Best kans dat de pers er niet meer aandacht aan besteedt dan een een-kolommertje.'

'Ik hoop het,' verzucht moeder.

'De pers heeft geen rechten,' zegt Gert, 'als wij zeggen dat ze niet op het erf mogen komen dan mag dat niet. Dat las je toch ook in het verhaal? Maar goed, ik blijf morgenvroeg wel thuis om te helpen als het nodig is.'

'Ik wil ook wel thuisblijven,' zegt Wim, die tot nu toe weinig gezegd heeft.

'Zal ik morgen ook thuisblijven van mijn werk?' vraagt Annelies.

'Wat zou je thuis moeten doen, meisje?'

'Ik zou kunnen helpen met koffieschenken en alles wat er verder voorvalt.'

'Dat is helemaal niet nodig denk ik, want volgens mij komen er niet veel meer mensen dan de veearts en iemand van het ministerie.'

'Psychologische ondersteuning dan.'

'Wat is dat?'

'Dat je je beter op je gemak voelt.'

'Ik vind het heel aardig van je Annelies, maar het hoeft echt niet.'

'Zal ik dan eerst nog wat fris inschenken?' vraagt Annelies, die blij is met de saamhorigheid die ze nu aantreft.

'Dat is goed kind.'

14

Als Annelies de zandweg opdraait, merkt ze dat er thuis iets bijzonders aan de hand is, want overal rondom de boerderij is licht. Niet alleen is het buitenlicht aan, maar ook het licht in de ligboxenstal en dan ziet ze de koplampen van een vrachtauto. Ineens weet ze waarom dat alles is: ze komen de koeien ophalen.

Ze laat het gaspedaal even los, want ze heeft niet veel zin om erbij te zijn als de koeien weggaan. De afgelopen dagen zijn zo moeilijk geweest. Allerlei mensen liepen de deur plat, zowel de veearts als deskundigen van allerlei instanties, ambtenaren van de overheid, vertegenwoordigers van de veevoederhandel en mensen van de krant. Het was waar dat niemand haar vader een verwijt maakte, integendeel, ze prezen hem om zijn nette boekhouding en zijn prima verzorging van de koeien, maar intussen waren de gevolgen van het bse-geval vervelend genoeg.

Annelies heeft zich er weinig mee bemoeid. Overdag was ze meestal weg en als er nog mensen waren bij haar thuiskomst, had ze weinig met hen maken. Als het 's avonds rustig werd en ze bij elkaar zaten, vroeg ze er haar vader naar en die vertelde dan wat er gebeurd was.

De onderzoeken hebben heel wat opgeleverd: in totaal 49 koeien moeten gedood worden, waarvan dertien van hun boerderij. Het zijn allemaal koeien die, vooral in het eerste jaar van hun leven, hetzelfde voer gehad hebben als Zeeuwtje, waardoor kans op bse-besmetting aanwezig is. Nu zijn ze dus bezig die dertien koeien op te halen...

Bij de inrit denkt ze er even aan om een stukje door te rijden en over een uurtje terug te komen, maar dat vindt ze toch al te kinderachtig van zichzelf. De veeauto staat aan de rand van het erf, ziet ze en er gaat juist een koe de brug op. 'Veetransportbedrijf Hooijer' leest ze. Ze rijdt haar auto naar de stalling in de hooitas. Ze is nog maar net uitgestapt of ze hoort geloei en geroezemoes van stemmen en ze vraagt zich af wie er nog meer zullen zijn dan haar vader en moeder. Snel sluit ze de auto af en loopt ze naar het erf, waar niet alleen haar moeder staat, maar ook enkele boeren uit de buurt: De Hollander en Van Eeghen. Ze vraagt zich af hoe de mensen wisten dat de koeien weg zouden gaan, terwijl zij niet op de hoogte was. Dan ontdekt ze Gert en Wim, die een beetje afzijdig van de anderen staan, dichtbij een eikenboom aan de rand van het erf. Ze krijgt ineens meelij met hen, want ze ontdekt aan hun houding dat zij het er moeilijk mee hebben. Daarom voegt ze zich bij hen en zegt: 'Ha jongens.'

De jongens kijken allebei op en zeggen: 'Ha Annelies.'

'Vervelend moment, hè?'

'Hm,' zegt Gert, terwijl hij schokt met zijn schouders.

'Zal ik bij jullie blijven staan?'

'Van mij hoeft dat niet,' zegt Gert en zijn stem klinkt hard. 'Ga maar bij moeder staan, daar is het gezelliger.'

Annelies kan zichzelf wel een klap tegen het hoofd geven vanwege haar stommiteit om het zo te vragen. Nu is er een kans om Gert te bereiken en dan doet ze zo! Had ze maar niets gezegd! Als ze ziet dat hij zijn handen dieper in zijn zakken doet en het hoofd in de schouders besluit ze naar haar moeder toe te gaan. Wim blijft bij Gert staan.

'Hoi.'

Haar moeder, met een jas over haar schort, kijkt op. Annelies ziet dat ze tranen in de ogen heeft.

'Daar komt er weer een,' zegt Annelies. Een zwartbonte koe met een halster om de kop, ze weet niet zo gauw welke het is, wordt door een man meegevoerd. Achter de koe loopt iemand om het dier zonodig op te drijven en daarachter loopt haar vader. Hij heeft natuurlijk geholpen bij het uitzoeken en vangen van de koe. Het dier loopt vanzelf mee. Annelies ziet wel dat het een goede melkkoe is, de uier zwabbert tussen de poten van het dier. Dan staat het voor de loopbrug en blijft de koe ineens staan met de voorpoten gestrekt tegen het uiteinde van de achterklep van de veeauto. 'Ksst,' roept de koedrijver, maar het helpt niets. Degene die de koe aan het touw heeft, is inmiddels halverwege de brug en begint harder te trekken, maar ook dat lost niets op. De koe verzet zich uit alle macht.

Dan slaat degene die achteraan loopt de koe met een stok hard op het achterwerk, waardoor het dier met het achterlijf een sprong maakt, terwijl de voorpoten toch stokstijf blijven staan. Annelies heeft bewondering voor de koe, die niet wil meewerken aan haar eigen ondergang.

'Tegelijk!' roept degene die achter de koe staat en op het moment dat hij weer slaat, geeft de ander een harde ruk aan het touw, waardoor de koe ineens vooruit gaat. Het dier zet een paar stappen en komt dwars op de brug te staan. Als de mannen het opnieuw proberen, neemt de koe onverhoeds een schuine sprong, maar als zij weer neerkomt op de brug glijden de poten van het hout af en valt ze.

De vader van Annelies, die het blijkbaar niet meer kan aanzien, beent de brug op, waar hij een paar woorden wisselt met de vervoerder. Daarna pakt hij het touw over en loopt naar de koe toe, die nog steeds ligt. De boer geeft de koe een paar klapjes op de hals en spreekt een paar zachte woorden. Daarna loopt hij weer naar voren en trekt hij voorzichtig aan het touw. Heel langzaam komt de koe overeind en als het dier ook dan nog niet mee wil, geeft de boer het een paar zachte klapjes op het achterwerk. Annelies hoort dat hij zegt: 'Kom maar.'

Zowaar het helpt, de koe verzet een voorzichtige stap en dan nog één en nog één. Annelies is trots op haar vader, die voor elkaar krijgt wat de vervoerder niet lukt.

Ze loopt iets naar voren en kijkt eens in de wagen, waar ze twaalf vastgebonden koeien ziet staan, dus deze was de laatste. Haar vader geeft het touw over aan de veetransporteur, die de koe vastbindt. Dan loopt hij snel even langs de andere koeien voordat hij weer uit de veewagen komt en bij zijn vrouw gaat staan.

'Was dat de laatste?'

Annelies kijkt om wie dat gezegd heeft. 'O, ben jij het Wim?' zegt ze.

'Ja, ik wil toch even hier komen kijken.'

De transporteur gaat bij de achterklep van de veeauto staan en drukt op een knop, waarna de klep omhoog gaat, zodat het zicht op de koeien ontnomen wordt. Dan komen de transporteurs en Van Eeghen en De Hollander naar hen toe.

'Ziezo, die hebben we opgeladen,' zegt een van de veevervoerders, 'ik zal zien dat ik met mijn vrachtje bij de slachterij kom.'

'Er zat goed vee bij,' zegt Van Eeghen, 'dat zul je net zien, dan nemen ze je koeien mee en dan pakken ze niet de slechtste maar juist de beste.'

'We beleven slechte tijden,' zegt De Hollander, 'aan de varkens is ook niet veel te verdienen en er zijn de laatste tijd zoveel ziektes om nog maar te zwijgen over alle overheidsbemoeienis. Ik heb gisteren een paar controleurs van de AID op mijn bedrijf gehad. Die lui zijn zo brutaal, ze menen dat ze alles mogen, maar ik heb ze wel eerst naar hun pasje gevraagd. Je moet niet al te vriendelijk tegen die lui doen.

'Mensen we moeten achteruit, want de wagen gaat draaien. Zou hij al willen gaan?' vraagt Van Eeghen.

'Ik denk het niet,' zegt de vader van Annelies, 'ik denk dat de chauffeur de wagen klaar wil zetten om zo dadelijk weg te kunnen rijden.'

Ze gaan aan de kant, zodat de wagen kan passeren en dan ziet Annelies tussen de kieren van het beschot door de koppen van de koeien. Ze kan er niets aan doen, maar ze heeft medelijden met de beesten, die waarschijnlijk niets mankeren en toch geslacht moeten worden.

De chauffeur stopt en stapt uit de veewagen, waarna hij op het groepje afkomt.

'Ziezo, dat is gebeurd.'
'Ik heb koffie,' zegt Annelies' moeder.
'Mijn kleren zijn wel een beetje vies.'
'Dat geeft niks, ik ben wel wat gewend.'
Het hele gezelschap stapt naar binnen. Annelies ziet Gert en Wim niet meer, ze besluit nog even langs de veewagen te lopen. Ze hoort de dieren ademen en bewegen in het stro en ze voelt een vreemde verbondenheid.
'Hoi,' hoort ze ineens een stem, die haar het hart in de keel doet kloppen. Peter!
Hij is het, ziet ze als ze zich omdraait. Ze voelt dat haar hart begint te bonzen en ze moet zich aan de veewagen vasthouden om niet te vallen.
'O, ben jij het, Annelies,' zegt hij, 'sorry dat ik je stoor, ik zoek je vader, ik vind het zo erg voor hem dat hij dit meemaakt.'
Ineens voelt ze woede bovenkomen tegen die huichelaar, die zegt het erg te vinden voor haar vader nu er iets is met zijn koeien en die nog nooit zijn excuses aangeboden heeft voor wat hij háár aangedaan heeft.
'Je kunt beter gaan!' zegt ze met nauwelijks ingehouden woede, 'je hoeft hier niet meer te komen!'
'Wat is er dan?'
'Dat weet je heel best!'
'Maar Annelies!'
'Ik wil je niet meer zien!'
Peter draait zich om en dat is maar gelukkig ook, want het wordt Annelies zwart voor de ogen.
'Annelies, hoe kan ik...?'
'Hoorde je me niet?'
Dan hoort ze dat Peter zich verwijdert en ze leunt zwaar op de vrachtauto. Ze voelt pijn in haar hartstreek en boven haar ogen is nog steeds een waas. Ze wil hier niet blijven staan, want dadelijk zullen de anderen weer naar buiten komen die haar zo niet mogen zien. Ze loopt naar de ligboxenstal waar het licht nog aan is, maar waar verder geen

mens is en ze valt neer op een paar balen hooi die ergens in een hoek liggen. Dan kan ze zich niet meer inhouden en zegt ze twee keer achter elkaar: 'Peter, Peter!' Daarna begint ze ongecontroleerd te snikken, totdat ze helemaal leeg is. Dan schaamt ze zich, pakt een zakdoek uit haar jaszak, droogt haar ogen, staat vlug op en loopt naar het voerhek. De koeien zijn op de een of andere manier onder de indruk van het gebeurde, want er komen deze keer geen dieren om aan haar hand te snuffelen, ze blijven integendeel in de verste hoek bij elkaar staan. En die Peter maar zeggen dat hij zo begaan is met koeien, terwijl hij nooit zijn excuses aan haar aangeboden heeft! Ze wil nadenken, maar niet hier, ook niet buiten, waar de anderen elk moment kunnen terugkeren. Ze gaat naar haar kamer.

Daar gaat ze op de stoel voor haar bureau zitten en kijkt met nietsziende ogen naar de muur. Eerst lijken de emoties haar weer te overvallen, maar ze dringt die met geweld weg: ze moet nu nadenken.

Het is haar duidelijk dat ze nog niet los is van Peter, maar ze vraagt zich af of het te maken heeft met gevoelens van frustratie, omdat hij haar zo gemeen behandeld heeft of toch met gevoelens van liefde die overgebleven zijn. Ze denkt zowel aan de goede ogenblikken als aan de moeilijke momenten, de keren dat ze met hem uitging en dat ze wist dat hij de ware was en de andere keren dat hij zijn hartstochten de vrije loop liet en alleen maar haar lichaam wilde. Als ze daaraan denkt, komt de afschuw boven, maar ze moet bekennen dat ze weemoed voelt als ze aan hun goede momenten denkt en die kan ze bijna niet wegduwen.

Als ze even later aan Frank denkt. Frank heeft niet het hartstochtelijke en ook niet het plompe van Peter. Hij heeft zoveel goede eigenschappen: hij heeft zijn gevoelens altijd in de hand, hij is beschaafd, hij heeft overal belangstelling voor en hij past zich aan op de boerderij. Frank roept alleen maar zachte en warme gevoelens bij haar op. En toch…

Haar hart huilt. Waarom heeft hij nu alles bij haar overhoop gegooid? Annelies besluit een boek te pakken, zodat ze haar gedachten kan verzetten, maar ze vindt geen afleiding. De beelden van Peter en Frank duiken op elke bladzijde van het boek op, de ene keer na elkaar en dan weer naast elkaar, bijna zo werkelijk dat ze die met haar hand wil wegvegen. Haar hoofd wordt moe en ze besluit om naar bed te gaan, in de hoop dat de beelden zullen verdwijnen.

15

In het licht van de koplampen van de auto ziet Annelies ineens iemand op de zandweg staan. Eerst heeft ze nog niets in de gaten en vindt ze het alleen maar vreemd, omdat hier haast nooit iemand loopt. Pas op het laatste moment ziet ze dat het Peter is en dan heeft ze eerst de neiging om het gas diep in te trappen, maar als ze ziet dat hij zijn hand opsteekt remt ze toch.

Hij loopt naar de auto toe en bij het zien van zijn gezicht weet ze dat ze niets van hem te duchten heeft. Ze draait het portierraampje naar beneden, waardoor ze de koude wind voelt binnenkomen.

Peter loopt met geopende handpalmen naast zijn lichaam op de auto toe en zegt: 'Sorry, Annelies, ik wist niet hoe ik je anders moest bereiken. Ik wilde je niet mailen of sms-en, omdat je dan zou schrikken, maar ik wil je toch iets zeggen, omdat ik me zo ellendig voel na die vorige keer. Wil je me vergeven?'

Ze zegt niets, maar klemt haar handen zo strak om het stuur dat de knokkels wit worden.

'Annelies, waarom zeg je niets? Ik wil graag met je praten.'

Het komt er haast klagend uit. Deze Peter kent Annelies niet.

'Goed,' zegt ze na een lange stilte, 'maar niet in de auto.'

Voelt hij wat ze bedoelt? 'Natuurlijk niet,' zegt hij.

'Ik zet de auto aan de kant en stap even uit,' zegt ze. Terwijl ze dat doet, voelt ze dat haar handen trillen.

'We zullen aan deze kant van de auto gaan staan,' zegt Peter, 'hier hebben we het minste last van de wind.'

Annelies gaat op veilige afstand van hem staan en wacht af wat er komen gaat.

'Annelies, wil je me vergeven, ik heb verkeerd gedaan.'

Het komt er zo oprecht uit dat Annelies het wel moet geloven. Nee, Peter is geen huichelaar, zoals ze de vorige keer meende. Toch bedwingt ze zich en vraagt ze streng: 'Wat heb je verkeerd gedaan?'

'Je had gelijk Annelies, ik heb jou verkeerd behandeld en ik heb naar verkeerde sites op internet gekeken.'

Annelies voelt ineens weerstand opkomen. 'Maar toen zei je dat je niet naar verkeerde sites keek!'

'Annelies, ik moet het eerlijk bekennen, ik heb toen ook gelogen.' Zijn stem is laag, zo laag als zij nog nooit van hem gehoord heeft.

'Hoe weet ik dat je het meent?' vraagt ze, ondanks dat ze weet dat hij het meent.

'Annelies, of je me gelooft of niet, het is echt waar, het spijt me, ik ben een slecht mens,' klaagt Peter met een stem die haar aan een begrafenisplechtigheid doet denken.

Annelies weet niet goed hoe het verder moet en zegt: 'Vraag God om vergeving.'

'Dat heb ik allang gedaan, je moest eens weten wat een ellendige tijd ik gehad heb.'

'En wat wil je nu? Wil je dat het weer goed wordt tussen ons?'

'Ik wil nu niets, ik zag dat je verkering hebt met een ander, het is mijn eigen schuld, want ik heb het ernaar gemaakt. Ik gun jou de liefde van een goede man, want je bent een goede vrouw. Het enige wat ik wil is dat je weet dat het me spijt, ik kan geen beterschap beloven, want ik weet hoe slecht mijn hart is. Ik bied je niets aan, het is mijn eigen schuld dat het allemaal zo gelopen is. Annelies, ik schrok pas zo van je boosheid, maar geloof me: ik durfde niet naar je toe te gaan, omdat ik me zo schuldig voelde. Ik durfde je niet meer te ontmoeten, omdat ik je geen verdriet wilde bezorgen. Het was ook niet mijn bedoeling om jou bij de koeien te ontmoeten en je pijn te doen, maar alleen maar om met je ouders mee te leven, omdat de koeien weggingen. Ik bleef expres buiten staan om op je vader te wachten, omdat ik bang was om jou binnen te ontmoeten. Het enige wat ik van je vraag is dat je niet meer boos op me bent. Je hoeft echt de hand niet tegen me op te steken, maar ik kan er niet tegen als je boos blijft. Tot nu toe heb ik me altijd snel teruggetrokken als ik jou zag, maar dat wil ik niet meer.'

'En toen je me op die bewuste avond achtervolgde dan?' vraagt Annelies, die nog wat voelt zitten, scherp.

'Annelies, dat heb ik ook verkeerd gedaan, ik was toen zo boos op je, maar ik ben blij dat ik je niet gevonden heb, want ik weet niet wat er dan gebeurd zou zijn. Ik ben blij dat God het verhoed heeft. Toen ik je niet kon vinden en weer thuis kwam, ben ik ingestort. Ben je nog boos?'

Ze slikt een keer moeilijk en wacht een volle minuut voordat ze begint te spreken. 'Nee, Peter, ik ben niet boos meer, wel ben ik erg teleurgesteld in je. Jij was de jongen die het zou gaan maken en die alles kon. Je bent me erg tegengevallen, moet ik zeggen.'

'Ik ben mezelf ook tegengevallen,' zegt Peter, 'ik vraag je geen gunsten, ik vraag je alleen of er voortaan niets meer tussen ons is, zodat we niet in wrok blijven omzien.'

Dan wordt haar stem zachter en ze zegt: 'Het is goed, Peter. Ik heb altijd gezegd dat mensen geen ruzie mogen maken en dat ze moeten vergeven, maar het blijkt in de praktijk moeilijker te zijn dan ik dacht. Ik hoop dat het je goed mag gaan.'

Daarop steekt ze hem haar hand toe, die Peter drukt.

'Annelies, het ga je goed,' zegt hij op zachte toon, waarna hij zich omdraait.

Als ze wegrijdt steekt ze haar hand op naar Peter, die er nog steeds staat, maar ze kijkt niet naar hem.

Annelies zet haar gevoel op slot.

Het wordt opnieuw een moeilijke avond voor haar. Ze had expres niet tegen Peter gezegd wat ze nog voor hem voelde, maar misschien heeft ze het daardoor zichzelf wel extra moeilijk gemaakt. En hoe moet het als ze Frank weer ziet? Het vliegt haar ineens aan dat zij niet weet wat ze wil. Eerst had ze Peter, toen kwam Harm in haar leven en nu is Frank er en ze is nog niet los van Peter. Zal ze aan Peter blijven denken als ze verder gaat met Frank of zal ze aan Frank blijven denken als ze terugkeert naar Peter?

Terwijl ze op haar kamer zit, buitelen de gedachten over elkaar heen en ze merkt dat het niet goed voor haar is. Daarom besluit ze naar buiten te gaan om een stukje te lopen. Ze trekt haar jas aan en zegt tegen haar moeder die in de kamer is, dat ze even naar buiten gaat. 'Er waait een koude wind hoor,' zegt die.

'Ik weet het moeder.'

Buiten gekomen ziet ze dat er licht brandt in de ligboxenstal en een ingeving van haar hart volgend besluit ze om naar haar vader toe te gaan.

'Hé, Annelies, dat vind ik leuk, dat je nog eens bij mij komt kijken,' zo begroet haar vader, die bij de voergoot naar het vee staat te kijken, haar. 'Dat deed je vroeger wel vaker, maar de laatste tijd zie ik je haast nooit meer in de stal. Je bent te druk met je vriendjes.'

'Zo papa, wat staat u hier te niksen?'

'Ja meisje, het is hier een stuk leger geworden, hè?'

'Komt er gauw nieuw vee?'

'Ik ben al op zoek. Het liefst neem ik vee van één veestapel over, zodat de koeien al aan elkaar gewend zijn, maar dat gaat nog niet zo makkelijk. Ik heb contact met een boer in Friesland en misschien wordt het wel wat.'

'Het is me een consternatie geweest!'

'Zeg dat wel, maar ik heb een vergoeding gekregen voor het vee dat weg moest en ik heb hoop dat de stal gauw weer vol staat, dus het leed is bijna geleden. Hoe is het met jou, meisje, ik vind dat je er slecht uitziet.'

'Vindt u, ik red me wel hoor.'

'Heb jij je het erg aangetrokken dat de koeien weggingen?'

'Valt mee hoor, op het moment dat ze gingen wel, maar ik ben geen boerin in mijn hart en ik was het al gauw vergeten.'

'Is er dan iets anders?'

'Nee, eh, nou ja...'

'Zeg het maar.'

'Ik sprak Peter vanavond.'

'Dat moet je niet te veel doen als je verkering hebt met Frank of ben je nog niet los van hem?'

'Ik weet het niet, pa.'

'Ja, kind hoe zal ik het dan weten.'

'Wat vindt u van Peter?'

'Ik vond hem een jongen die goed bij jou paste en ik dacht dat jullie echt van elkaar hielden.'

'Eerst niet, hè?'

'Nee, eerst niet, toen wilde ik niets met die pottenkijkers te maken hebben, maar ik heb zo eens naar jullie gekeken en gemerkt dat jullie echt om elkaar geven. Ik was verbaasd dat de verkering uit was.'

'En wat vindt u van Frank?'

'Ja, nu heb je Frank, hij is anders, hij komt uit de stad, maar ik kreeg de indruk dat hij ook wel goed bij jou past. Je kunt overal met hem over praten en hij heeft goede manieren.'

'Vindt u het vervelend dat ik met iemand uit de stad verkering heb?'

'Eerst wel, maar ik heb me er al bij neergelegd dat niemand van mijn kinderen boer wordt en ik hoop dat jullie een goede toekomst tegemoet gaan.'

'Dat laatste weet ik juist niet.'

'O?' Onderzoekend kijkt hij haar aan. 'Wil je het uitmaken met Frank?'

'Ik weet het echt niet.'

'Waarom zou je het willen uitmaken?'

'Omdat ik niet weet of ik echt van hem houd,' zegt ze ineens geëmotioneerd. 'Ik dacht dat ik van Frank hield,

maar het is allemaal zo heel anders dan met Peter.'
'Hoe kan ik het dan weten, Liesje, als jij het niet weet, maar je moet doen wat je hart je ingeeft.'
'Zag u hoe Gert onder de indruk was toen de koeien weggingen?' gaat ze over op een ander onderwerp.
'Nee, ik heb het niet gezien, maar ik weet wel dat hij het moeilijk heeft. Als ik alles zo bekijk, denk ik dat het met Wim op dit moment nog het beste gaat. We zijn allemaal tobbers.'
'Pa, alle mensen zijn tobbers.'
'Behalve degenen die een nieuw hart hebben.'
Ze zegt niets meer, maar denkt eraan hoe zij bij momenten de vreugde daarvan kent en op andere momenten weer niet.
Stil blijven ze naast elkaar bij het hek staan, verbonden door een sterke band.

16

Annelies geniet van de wandeling met Frank door de stad. Ze is er voor zichzelf nog niet uit, maar ze wil het niet uitmaken met Frank voordat ze zeker weet hoe het verder moet en daarom is ze bij hem thuis wezen kennismaken. Die kennismaking verliep prima. Zijn ouders zijn mensen die een ander snel op zijn gemak kunnen stellen en zijn broer en twee zussen praten ook gemakkelijk. Annelies moet bekennen dat ze wel blij is dat ze nu in de stad lopen en niet meer binnen zijn. Ze zal dat ongedurige altijd wel blijven houden.

De oude binnenstad is prachtig met heel wat historische huizen en een herstelde oude stadsgracht en natuurlijk de markt met de kerk, de gotische toren en de cafés. Ze lopen hand in hand langs de plaats op de markt waar ze elkaar voor het eerst ontmoet hebben, maar ook langs het café, waar ze met Harm geëvangeliseerd heeft. Ze weet dat ze niet echt van Harm gehouden heeft, maar ze denkt wel met warme gevoelens aan hem terug. Ze lopen verder tot de oude binnenpoort aan het eind van de winkelstraat. Annelies voelt aan de kleine rode stenen en ze bekijkt de twee ronde torens aan de hoeken van de poort. Vlakbij is een gracht en een stuk van de oude stadsmuur waartegen in de loop van de tijd huizen gebouwd zijn. Annelies kijkt naar een paar eenden die in de gracht zwemmen en Frank komt naast haar staan.

'Jullie hebben een mooie stad.'

'Dat vind ik ook,' zegt hij.

'Ik kan er echt van genieten en toch vind ik het bij ons op het platteland mooier.'

'Je blijft een kind van het land.'

'Vind je het erg?' vraagt ze, plotseling serieus.

'Erg? Welnee, je past je toch in de stad ook aan? Ik denk

wel dat het belangrijk is om je op de toekomst te richten en je alvast aan te passen aan de nieuwe situatie. Ik heb wel van vrouwen gehoord die van het platteland kwamen en niet konden wennen in de stad, maar dat was hun eigen schuld, omdat ze zich niet wilden aanpassen. Stel je gerust, ik zit er wat jou betreft niet over in.'

'Frank, ik weet niet of ik me wel genoeg aan jou kan aanpassen,' zegt Annelies, heel serieus.

Hij doet een stap naar haar toe en pakt haar hand voorzichtig vast. 'Meisje, ik wilde je niet laten schrikken, dat had ik niet bedoeld,' zegt hij, 'natuurlijk krijg je van mij tijd genoeg om je aan te passen. Maak je niet ongerust, want samen lukt het ons wel. Hoe komt het dat je denkt dat je je niet genoeg kunt aanpassen?'

'Ik voel het,' zegt ze, emotioneel geworden.

'Wat voel je dan?' vraagt Frank verbaasd.

'Laat ik het maar eerlijk zeggen, wat er aan de hand is. Ik hoop niet dat je er kwaad om wordt, beloof me dat je niet boos wordt, maar ik wil eerlijk tegen jou zijn en niet iets achterhouden dat onze relatie in de weg kan staan.'

'Wat is er dan?'

'Frank, niet kwaad worden hoor, maar als ik bij jou ben moet ik heel vaak aan Peter denken.'

Annelies merkt dat Frank om zich heen kijkt. 'Die mensen hebben er niets mee te maken,' verklaart Frank. 'Kom dan lopen we even een stukje verder, daar is het rustig en er staat een bank, zodat we ongestoord kunnen praten.'

Annelies voelt dat ze rustiger wordt als ze hand in hand met Frank naar de bank toe loopt, die op een rustige plek in een nis van de stadsmuur, met uitzicht over de gracht, is ingebouwd. Als ze zitten, weet Annelies niet meer wat ze moet zeggen. Frank pakt haar hand weer vast en kijkt haar aan. Ze kijkt diep in zijn ogen en heeft spijt van wat ze gezegd heeft.

'Laten we het er maar niet meer over hebben,' stelt ze voor.

'Jawel, dit moeten we uitpraten.'
'Ik vind het zo vervelend voor je dat ik wel eens aan Peter moet denken.'
'Dat begrijp ik. Annelies, waarom heb je dat niet eerder gezegd?'
Ze kijkt naar hem op met tranen in de ogen. 'Frank, ik hoop dat je me gelooft, toen jij kwam dacht ik dat jij de ware was en ik was heel verbaasd dat ik het beeld van Peter nog wel eens voor ogen kreeg. Ik heb er eerst niets van gezegd, omdat ik dacht dat het vanzelf over zou gaan. Onlangs heb ik een gesprek met hem gehad en nu ben ik nog minder los van hem.'
'Annelies, dat kun je niet menen!' zegt Frank en zo boos heeft Annelies zijn stem nog nooit gehoord. 'Je hebt verteld wat Peter je aangedaan heeft, die schoft, en nu denk je weer aan hem op een manier die onze omgang in de weg staat. Hoe kun je dat in vredesnaam doen?'
Annelies' blik glijdt even naar de rimpels in het water, dat in beweging gebracht wordt door een eendenpootje en ze keert de palm van haar handen naar Frank toe. 'Frank, ik wil eerlijk tegen je zijn, ik kan het echt niet helpen.'
'Annelies, je valt me tegen. Vanaf de eerste keer dat je bij de bijbelkraam stond, heb ik iets bijzonders in je gezien en ik kan niet anders zeggen dan dat ik liefde voor je opgevat heb. Ik dacht dat jij integer was en ik vond jou niet iemand om er twee geliefden op na te houden, dit had ik niet van je verwacht.'
'Nee, Frank, zo is het niet, ik wil er geen twee geliefden op na houden, integendeel, het gebeurt tegen mijn wil.'
'Ja, dat kun je wel zeggen, maar je wil mag je verstand toch niet overheersen? Ik kan me voorstellen dat het je een keer overkomt, maar dan zorg je er toch voor dat het geen tweede keer gebeurt en als het een tweede keer gebeurt dan ga je toch geen gesprek met die Peter aan? Ik moet zeggen dat ik erg in jou teleurgesteld ben.'
'Dan begrijp je me niet.'

Annelies ziet dat de eend onderduikt op zoek naar voedsel en een stukje verder weer bovenkomt, waardoor het water heviger golft.

'Je had niet met die vent mogen praten,' zegt Frank bitter.

'Er steekt toch geen kwaad in een gesprek?'

'Wel als het zo beladen is.'

'Frank, hij bood zijn excuses aan voor zijn gedrag, moet je dat weigeren?'

'Nou, dan had je dat moeten accepteren en direct daarna had je weg moeten gaan. Jij hebt mij in de problemen gebracht en ik vind niet dat ik dat verdiend heb.'

Annelies gaat staan en Frank doet hetzelfde. Zij doet een stap naar voren, maar Frank doet een stap naar achteren, waarna ze geen tweede stap zet.

'Je moet toch altijd willen vergeven?'

'Ja, maar niet op deze manier. Zo'n ploert van een vent die je bijna verkracht, biedt zijn excuses aan en het is allemaal weer goed. Ik eis dat je voorgoed afstand van hem doet, anders zullen jouw gedachten aan hem onze relatie onder druk zetten.'

Annelies heft haar handen omhoog. 'Frank, je vraagt het onmogelijke. Wat jij vraagt kan niet! Ik kan mijn gedachten niet stilzetten! Geef me tijd!'

'En toch eis ik het van je, als je het niet belooft...' zijn stem wordt harder.

'Frank, ik smeek het je, geef me de tijd!' Annelies laat nu haar handen zakken.

'Lieve Annelies,' zegt Frank, wiens stem nu weer zachter klinkt, 'ik houd heel veel van je, maar ik wil niet dat je blijft denken aan zo'n sujet.'

'Ik wil dat je onmiddellijk je beledigende woorden terugneemt, anders...'

'Wat anders?'

'Anders dan...' Ze stampt met haar voet op de grond.

'Meisje, je moet niet denken dat je me met dreigementen

kunt chanteren. Ik wil een eerlijk en open gesprek en dan wil ik niet zo behandeld worden.'

'Ik wil dat je je beledigingen aan het adres van Peter terugneemt,' herhaalt Annelies.

'Ik denk er niet aan om iets terug te nemen!'

'Dan is het vanaf nu voorbij,' zegt ze, draait zich om en loopt weg. Als ze tien stappen gezet heeft, merkt ze dat Frank haar niet achterna komt. Ze vertikt het om achterom te kijken of terug te keren, want dan zou hij triomferen. Ze gaat bij de binnenpoort rechtsaf en komt in een drukke winkelstraat terecht, waar ze stil blijft staan en achterom kijkt. Geen Frank! Ineens schiet de paniek naar haar hoofd. Stel je voor dat de relatie echt verbroken is!

De gebeurtenissen zijn haar blijkbaar boven het hoofd gegroeid, beseft ze ineens, want ze was absoluut niet van plan om het uit te maken. Wat ging er fout? Wat heeft ze verkeerd gedaan? Nee Annelies, zo spreekt ze zichzelf toe, dit heeft Frank niet aan jou verdiend. Hij is een eerlijke, serieuze jongen en het is toch goed te begrijpen wat hij zei over Peter, die zich toch inderdaad misdragen heeft? Maar Peter heeft toch zijn excuses aangeboden, komt een andere stem.

Ze blijft lange tijd in de winkelstraat staan, in de hoop dat Frank haar achterna zal komen, maar dat doet hij niet. Wat moet ze nu? Moet ze nu terug naar hem en haar excuses aanbieden voor haar uitval van woede? Nou, als ze dat doet, moet hij zeker tegelijkertijd zijn verontschuldigingen aanbieden over zijn beledigende woorden aan het adres van Peter. Het is best mogelijk dat hij naar huis gegaan is, omdat zij wegliep. Wat moet ze dan doen? Moet ze dan stiekem de auto pakken en wegrijden zonder afscheid van de familie te nemen en zonder hier ooit terug te keren? Ze zucht omdat ze op het alleronverwachts in zo'n moeilijk situatie gekomen is. 'Heere, help me,' bidt ze kort.

Dan neemt ze het besluit om terug te gaan naar de plaats bij de gracht waar ze net stonden en als ze Frank niet kan vinden, terug te keren naar zijn huis en maar af te wachten hoe het zal gaan.

Hij staat er nog met zijn armen over elkaar en hij kijkt naar haar uit! Ze loopt naar hem toe en blijft op een meter of vijf afstand van hem staan.

'Hallo Annelies, ik ben blij dat je teruggekomen bent,' begint hij op rustige toon.

'Heb je op me gewacht?'

'Ja natuurlijk, ik wist dat je vroeg of laat terug zou komen.'

'Frank, mijn excuses dat ik zo boos wegliep.'

'Dankjewel Annelies, ik ben blij dat je je excuses aanbiedt. Zullen we teruglopen naar huis, want het is inmiddels tijd voor de koffie.'

Annelies voelt de boosheid weer opkomen, want hij heeft het helemaal niet over zijn beledigende woorden en het geval met Peter noemt hij niet eens, maar op dit moment kan zij niet anders doen dan met hem meelopen naar zijn huis.

Op weg naar haar huis zijn er dingen die Annelies helemaal niet lekker zitten. Ze hebben bij Frank thuis in alle rust koffie gedronken en al vrij snel daarna is ze weggegaan. Hij gaf haar in de hal een beheerste zoen op haar wang. Toen voelde zij zich schuldig dat ze hem niet gezoend had en ze gaf hem een zoen op zijn mond, die hij beantwoordde, maar zelfs terwijl ze zoende zag ze het beeld van Peter voor zich. Ze heeft het er niet over gehad, want het zou toch water naar de zee dragen geweest zijn, maar intussen was de pijn vanbinnen wel groter geworden.

Het wordt voor haar steeds duidelijker dat ze moet kiezen, anders wordt ze gek en het wordt haar ook steeds duidelijker dat zij een einde moet maken aan de vriendschap met Frank. Het zit haar het meeste dwars dat Frank geen excuses aanbood. Hij had zijn woorden overwogen en hij vond dat ze niet verkeerd waren en dan komt hij er niet meer op terug, zo heeft ze hem leren kennen. Voordat ze thuis is, is ze zover dat ze besluit de verkering met Frank uit te maken. Het volgende probleem is hoe dat moet. Het is wel erg onpersoonlijk als ze het per e-mail doet.

Weet je wat, ze zal hem mobiel bellen en dan zal ze hem aanbieden nog een keer te komen voor een laatste gesprek. Op de zandweg, iets voorbij hun huis, zet ze de auto stil en belt ze op.

'Met Annelies.'

......

'Frank, ik hoop niet dat je boos bent, maar ik wil het uitmaken.'

......

'Ja, daar heeft het ook mee te maken. Ik vind het niet goed wat je tegen me zei over Peter. Ik kan mezelf toch niet veranderen en als ik aan Peter denk, dan gebeurt dat gewoon en jij kunt niet eisen dat dat niet meer mag gebeuren.'

......

'Je vindt het jammer, zeg je?'

......

'Ik hoop ook dat het jou goed mag gaan en wens je wederkerig Gods zegen toe. Wat ik wilde vragen: 'Heb je er nog behoefte aan dat we elkaar een keer persoonlijk ontmoeten, omdat het gesprek op deze manier zo afstandelijk is?'

......

'O, dat vind je niet nodig, Frank, het ga je goed in alles. Daag.'

Met het mobieltje in haar schoot blijft Annelies net zo lang zitten tot ze het koud begint te krijgen. Direct na het verbreken van het contact had ze helemaal geen gevoel bij de verbroken relatie, maar nu zegt ze zacht voor zich heen: 'Zo makkelijk gaat het dus.' En als ze dat gezegd heeft, dringt een gevoel van opluchting tot haar door. Heeft ze ooit echt van Frank gehouden?

17

Die nacht kan Annelies niet slapen, omdat haar problemen nog groter geworden zijn. Ze heeft twee jongens de bons gegeven, zonder er iets voor terug te krijgen. Ze kan nu wel verlangen naar Peter, maar daarmee is het nog niet goed. Tegelijkertijd heeft ze schuldgevoelens over de manier waarop ze de relatie met Frank verbroken heeft. Ze schaamt zich dat het zo gelopen is, maar een weg terug is er niet.

En hoe moet het gaan met Peter? Ze kan hem toch niet zomaar bellen en vragen of hij een keer langskomt? Ze moet eigenlijk afwachten tot hij contact met haar zoekt bedenkt ze, maar ze krijgt het benauwd bij de gedachte dat hij dat niet durft of wil, omdat hij een ander heeft. Ze stelt het zich voor dat ze thuis is en dat Peter dan met een meisje aan de hand over de zandweg loopt, allebei losjes zwaaiend met de handen en met alleen maar oog voor elkaar. Ze krijgt het benauwd en voelt pijn bij haar hartstreek, die naar haar linkerbovenarm trekt en ze denkt dat ze het aan haar hart heeft. Ze draait zich om en probeert te slapen, maar de pijn gaat niet weg en ze krijgt het steeds benauwder. Het helpt niet of ze haar ogen al sluit om nergens aan te denken.

Ze stapt uit bed, snel, gejaagd en hevig verontrust, want stel je voor dat ze het zo erg aan haar hart heeft dat ze het niet overleeft! Vroeger hoorde je alleen maar dat mensen van boven de veertig hartklachten hadden, maar tegenwoordig lees je dat ook jongeren overlijden door hartproblemen. Ze moet zachtjes doen, anders maakt ze de anderen wakker en daarom doet ze het licht niet aan. Voorzichtig gaat ze de trap af om door te lopen naar de wc.

Gelukkig wordt de benauwdheid iets minder en ze besluit wat te eten. Ze doet de koelkast open en kijkt of er wat lekkers ligt. Haar oog valt op de kaas en ze besluit er een stuk af te snijden, een beetje recht, anders krijgt ze morgenvroeg commentaar. Ze pakt ook een pak sinaasappelsap en schenkt zich een glas vol in. Of de combinatie geslaagd is, weet ze niet, maar ze ondergaat wel de weldadige werking van het voedsel en het drinken.

Totaal onverwacht komt het idee bij haar op om Peter een mailtje te sturen en zonder verder na te denken, loopt ze naar de kamer, doet het licht aan en stapt naar haar computer om die op te starten. Ze is blij met het zoemende geluid dat ze hoort en als ze even later het beginscherm ziet verschijnen klikt ze zonder aarzeling Outlook aan. Ze voelt dat ze ineens heel gejaagd begint te worden en zonder verder na te denken klikt ze op 'nieuw bericht' en daarna typt ze de naam 'Peter' in. Bij de tweede letter komt zijn volledige naam te voorschijn, wat haar zoveel voldoening geeft dat ze haastig doorgaat. Maar ze weet niet hoe ze moet beginnen. 'Lieve Peter', de aanhef, die het eerste bij haar opkomt kan niet. Ze besluit tot het neutrale 'Peter', maar daarna willen de woorden niet komen. Ze focust haar blik op de naam van Peter en ze ziet de cursor knipperen, maar ze krijgt geen woord op het scherm. Ze denkt erover om op de uitknop te drukken, zodat alles weg is, maar ze doet het niet. Nee, ze moet nu doorzetten! Kom op, ze moet gewoon gaan schrijven en niet bang zijn voor de gevolgen.

'Peter, ik wil graag een keer met je praten. Zullen we afspreken voor volgende week maandagmiddag om half twee op de zandweg halverwege tussen jouw huis en mijn huis?

Groeten, Annelies.'

Ze leest het bericht een keer over om fouten te corrigeren en verstuurt het dan zonder verder nadenken. Ze weet zelf ook wel dat de kans groot is dat Peter niet kan, want hij moet op maandagmiddag natuurlijk werken, en hij kan niet gemakkelijk vrij krijgen, omdat hij altijd druk is. Maar zij wil hem niet ontmoeten in het donker en ook niet in een auto of in een restaurant of iets dergelijks. Ze wil hem spreken in de open lucht en als het nodig is kan hij zelf aangeven dat hij niet kan of een andere datum voorstellen.

'Wat ben jij aan het doen, kind?'

Annelies schrikt van de stem achter haar, die afkomstig is van haar moeder, gekleed in een lang nachthemd en met krulspelden in het haar.

Annelies klikt snel Outlook weg en zegt dan: 'O, even een mailtje versturen.'

'Moet dat midden in de nacht?'

'Ik kon niet slapen, toen ben ik naar de wc geweest en heb even iets gepakt uit de koelkast en toen wilde ik een mailtje versturen. Het maakt toch niets uit hoe laat je een mailtje verstuurt, want de afzender kan het toch lezen wanneer hij wil.'

'Waarom was er zo'n haast bij?'

'Ik zeg niet dat er haast bij was, ik stuurde het mailtje omdat ik niet goed kon slapen.'

'Heeft het met Frank te maken? Ik vind dat je de laatste tijd zo raar doet, eerst was er al dat gedoe met Peter, toen kwam Harm hier een paar keer, toen Frank en nu lijkt het net alsof je ook niet meer om hem geeft.'

'Dat is ook zo, ik heb het uitgemaakt met hem.'

'Zie je wel, ik was er al bang voor, kind, kind, het gaat van kwaad tot erger. Zoek het toch gewoon bij je eigen soort en ga niet zo ver weg. Dacht je werkelijk dat het je meer geluk brengt als je het in de stad zoekt? Je vader en ik zijn toch ook altijd gelukkig geweest samen en al die andere mensen hier in de buurt en in de familie toch ook?'

'Moeder, u begrijpt me niet.'

'Dat zeggen ze tegenwoordig allemaal, maar weet je dat je jezelf niet begrijpt en dat daardoor al die moeilijkheden ontstaan? Als je gewoon gedaan had zoals de anderen, dan was er niets aan de hand geweest.'

'Ik wil dat u ophoudt!'

'Stil toch kind, ik doe je toch niks!'

'Gaat u alstublieft naar bed, moeder en laat me met rust, het komt allemaal wel goed.'

'Ik geloof er niets van dat het allemaal goed komt.'

'Moeder, laat me alstublieft met rust!'

'Dan moet je het zelf maar weten, welterusten, blijf niet te lang beneden.'

Annelies besluit wat te drinken als haar moeder naar boven is en als dat gebeurd is, is er een geheimzinnige aandrang die haar naar de computer drijft om Outlook te openen en te kijken of er nieuwe berichten zijn binnengekomen, hoewel haar verstand zegt dat het onzin is.

Tot haar eigen verbazing is er een nieuw bericht en dan begint de hand waarmee ze de muis vasthoudt te trillen. Ze kan slechts met grote moeite aanklikken en dan ziet ze dat Peter werkelijk heeft geantwoord! Hoe is het mogelijk! Haar hart klopt fel in haar keel en er trekt een waas voor haar ogen, zodat ze even niets ziet. Als de mist is opgetrokken, kijkt ze op het scherm, waar maar twee woorden staan: 'Afgesproken. Peter.'

Droomt ze of is dit echt? Ze zal controleren of het echt is en ze klikt even op Postvak in, waarna ze haar naam weer aanklikt. Nee hoor, het is echt! Er staat: 'RE: Afspraak', daarachter staat de tijd en dat kan niet missen: 02.30! Hij zat op haar mailtje te wachten, is het eerste wat ze denkt. Het is een besturing van boven, meent ze daarna. Of zat hij weer op zijn kamer te werken en allerlei sites te bezoeken en hoorde hij dat er een mailtje binnenkwam? Die laatste gedachte doet haar ineens de adem inhouden. Als dat waar is! Maar direct daarna is die gedachte uit haar hoofd.

Ze heeft zin om nog een mailtje te sturen, maar ze doet het niet. Ze sluit de computer af en gaat naar bed, maar van slapen komt die nacht niets. Telkens weer ziet ze het gezicht van Peter voor zich en telkens weer merkt ze hoe ze naar hem verlangt. Hoe lang duurt het nog voor het maandagmiddag is?

18

Als Annelies maandagmorgen de gordijnen opendoet, ziet ze dat er buiten sneeuw ligt. Ze blijft even voor het raam staan en kijkt uit over de tuin, de weilanden en de bossen. Wat is alles mooi geworden! Ze kan zo van de sneeuw genieten, maar of het vandaag uitkomt, is voor haar de vraag, omdat de ontmoeting met Peter gepland staat en de sneeuw niet in dat programma opgenomen was. Ze voelt zich zenuwachtig.

Annelies kijkt nu alvast in de kast wat ze die middag zal aantrekken. Ze besluit tot iets heel eenvoudigs: een lange spijkerrok, een dikke rode trui over een witte blouse en haar daagse blauwe jas met daaronder laarzen en het kan haar niets schelen wat Peter ervan vindt.

Die morgen loopt ze eerst even naar buiten om de sneeuw te voelen. Ze heeft sneeuw altijd mooi gevonden en ook nu bewondert ze alles wat ze buiten ziet: de bomen, waar de sneeuw aan de ene kant tegen de stam geplakt is, het landschap met de witte heiningpalen, maar ook de sporen van de fiets van Wim en de scooter van Gert en de stappen van haar vader met het dikke profiel van de laarzen over het erf. Als ze een klein stukje bij het huis vandaan gaat staan, ziet ze het witte rietdak met daarboven de rokende schoorsteen, wat ze ook zo'n mooi gezicht vindt. Ze pakt een handvol sneeuw, zodat de kou in haar handen dringt en gooit een sneeuwbal, die tegen de muur van de ligboxenstal uiteenspat.

Dan loopt ze naar de sloot aan het einde van de inrit en ze ziet het donkere heldere water stromen, wat een groot contrast vormt met de witte sneeuw. Een roodborstje komt aangelopen, maar als het vogeltje haar ziet, hipt het weer weg en wat rest zijn de sporen. Het waait een beetje en dan valt er een vleugje sneeuw van de boom. Vanaf dat ze kind was, heeft ze van de sneeuw gehouden en ze weet zeker dat ze het nog doet. Laten de anderen maar zeggen dat ze daarom nog een kind is! Ze kijkt naar haar handen die rood geworden zijn en ze voelt ineens de kou, want ze is zonder jas naar buiten gegaan, ze heeft nergens aan gedacht.

Op het erf ziet ze haar vader lopen en ze merkt dat hij haar niet in de gaten heeft. Snel maakt ze een sneeuwbal klaar en mikt die naar hem toe. De sneeuw belandt precies op zijn schouder, ze heeft al een tweede klaar en als hij zich omdraait, gooit ze, maar omdat ze tijdens het gooien begint te lachen mist de sneeuwbal. Met een paar stappen is hij bij haar en voordat ze weet wat er gebeurt, heeft hij haar al ingepeperd, zodat haar hele gezicht onder de sneeuw zit. Met beide handen poetst ze haar gezicht schoon.

'En nu moet je rustig zijn meisje, anders is dit nog maar een begin.'

'O ja, wat denkt u wel?'

'Nou, ik zou jou bijvoorbeeld op de grond kunnen gooien.'

'Voordat u bij me bent, ben ik al lang weg,' daagt ze hem uit en tegelijkertijd gooit ze hem een handvol losse sneeuw in zijn gezicht. Daarop gaat ze er als een haas vandoor naar binnen. Juist op dat moment bevindt haar moeder zich aan de andere kant van de deur en ze loopt haar bijna omver.

'Pas toch op!' zegt die.

'Doe de deur snel dicht!' roept Annelies.

'Niet met sneeuw naar binnen!' roept moeder terwijl ze dreigend haar vinger opsteekt tegen haar man en daarna de deur wil sluiten, maar ze is te laat, want hij is al binnen met de sneeuw in zijn hand en wrijft die in het gezicht van zijn vrouw, die luidkeels protesteert, maar Annelies hoort wel aan haar stem dat ze het zo erg niet meent.

Wacht ze zal hem! Snel pakt ze buiten wat sneeuw, maar als ze terugkomt laat ze die uit haar handen vallen, want ze ziet iets wat ze eigenlijk nooit ziet. Haar vader geeft haar moeder in het openbaar een kus! Haar moeder verontschuldigt zich door te zeggen dat hij op die manier zijn excuses aanbiedt. Hij heeft haar al losgelaten en zegt: 'Ziezo, nu is er koffie!'

Al voordat de koffie op het tafeltje staat, begint hij over het goede nieuws dat hij heeft. 'Ik had zojuist contact met een veehouder in Friesland die ermee stopt. De man had het verhaal van de bse in de krant gelezen en hij wil mij graag helpen met het opbouwen van een nieuwe veestapel. Ik denk dat ik morgen of overmorgen ga kijken. Vrouwtje, ga je mee, dan maken we er een gezellig dagje van en gaan we even een kijkje nemen in Leeuwarden bij de scheve toren. Vrouwtje, we krijgen de stal weer vol, wat mooi hè?'

'Je mag God wel dankbaar zijn!'

'Net alsof ik dat niet ben!'

'Zo Annelies, en wat ga jij vandaag doen?'

'Ik denk dat ik vanmorgen mama ga helpen.'

'De morgen is al bijna voorbij.'

'O nee, we hebben nog bijna twee uur voor het middag is, maar als u vindt...'

'Nee, nee, dat niet en wat ga je vanmiddag doen?'

'Ik denk dat ik vanmiddag een wandeling ga maken.'

'Groot gelijk, het is er prachtig weer voor, jammer dat je verkering met Frank uit is.'

'Je kunt beter om iemand verlegen zijn dan met iemand.'

'Dat is waar, we moeten maar zien hoe het verder gaat.'

Aan die woorden denkt ze als ze om goed kwart over één op de zandweg loopt. Ze moet maar zien hoe het gaat. Ze zal wel de eerste zijn, bedenkt ze, terwijl ze langzaam door de sneeuw verder loopt.

Warempel, Peter staat al op haar te wachten, ze ziet dat hij in haar richting kijkt en naar haar toe komt. Ze kijkt naar zijn gezicht. Van ver ziet ze nog niets, maar als ze dichterbij komt merkt ze dat hij zenuwachtig is. Hij blijft op een meter afstand van haar staan, steekt haar een hand toe en zegt: 'Dag Annelies.'

Ze merkt dat zijn stem trilt en ze weet ineens niet meer wat ze zeggen moet. Een stil woordeloos gebed komt in haar hart omhoog.

'Dag Peter,' zegt ze, terwijl ze haar hand losmaakt en expres een stap achteruit doet. Peter reageert er niet op.

'Annelies, dank je wel, dat je met me wilt praten. Ik heb je mailtje als een gebedsverhoring gezien. Ik heb zulke ellendige weken gehad, echt.'

'Dat is toch nergens voor nodig, want je had je excuses toch al aangeboden?'

'Dat kan wel zijn, maar ik begon steeds meer te voelen dat ik verkeerd bezig geweest was. Ik kan tegenwoordig vaak 's nachts niet slapen en dan ga ik er even uit om wat te drinken, maar nooit open ik de computer, behalve op die avond. Ik kreeg ineens het gevoel dat er iets bijzonders aan de hand was, maar ik wist absoluut niet wat. Toen ik zag dat er een mailtje van jou was, wist ik dat mijn gebed verhoord was. Als ik tien minuten vroeger gekeken had was er geen mailtje geweest. Je had het mailtje net verstuurd toen ik de computer opende en ik heb dadelijk een mailtje teruggestuurd. Ik vind het fijn dat ik je hier mag ontmoeten. Ik kan het goed begrijpen dat je de verkering met mij uitgemaakt hebt, want ik ben het niet waard, maar ik hoop niet dat je later in je leven slechte herinneringen aan mij zult overhouden en daarom wil ik graag alles wat er nog zit tussen ons uit de wereld hebben.'

'Peter, er zit niets meer, echt niet.'

'Maar waarom wil je dan met me praten?'

Nu begint Annelies te hakkelen. 'Peter, eh, Peter, ik eh… heb de verkering met Frank uitgemaakt.'

Ze ziet dat hij schichtig naar haar ogen kijkt en dan de zijne onmiddellijk weer neerslaat en naar de witte sneeuw blijft kijken en dat zijn lip begint te trillen. Deze Peter kent ze niet.

'Annelies, mag ik nog iets vragen?'
'Natuurlijk mag je iets vragen.'
'Annelies, waarom heb je de verkering met eh... Frank uitgemaakt?'
'Peter, omdat ik jou niet kon vergeten.'
'Echt?' Met een ruk gaat zijn hoofd omhoog en Annelies ziet de glans in zijn ogen. Dan kan ze zich niet meer inhouden, doet een stap naar hem toe en slaat haar handen om zijn middel heen. 'Peter, ik ben altijd van je blijven houden!'
'Annelies, ik heb je zo gemist en ik vond het zo erg je met een ander te zien lopen, Annelies!'
Dan zijn er geen woorden meer nodig.

Als ze – veel later – hand in hand samen over de sneeuwweg lopen, hoeven er geen verdere excuses meer aangeboden te worden, er hoeft in het geheel niet zo veel gezegd te worden. Ze genieten allebei van elkaar en van het witte landschap om hen heen.
'Ik ben wat sneeuw betreft altijd een kind gebleven,' vertrouwt ze hem toe.
'Laat dat maar zo blijven,' zegt hij.
'Hier was het ergens dat we elkaar voor het eerst ontmoetten, toen met die bloemen,' zegt zij.
'Ja, dat was hier ergens.'
'Toen hebben we een mooie wandeling gemaakt.'
'Zullen we dezelfde wandeling nu maken?'
Ze lopen verder en wijzen elkaar op de mooie dingen die ze zien: een paar sneeuwwolkjes die van de bomen naar beneden komen, een mooi doorkijkje tussen de bomen, de pijlachtige pootafdrukken van vogels, de roep van de koolmees en het heldere water van de sloot, dat alsmaar doorstroomt.
'Tel uw zegeningen,' zegt ze zachtjes voor zich heen.
En dan staan ze ineens bij de schapenstal! Annelies voelt weerstand bij zich opkomen, want ze wil niet meer herin-

nerd worden aan dat akelige moment daar.

'Annelies, ik voel je hand trillen, ik hoop dat je me weer wilt vertrouwen.'

'Als je dat nog een keer durft te zeggen, gooi ik je een sneeuwbal in je gezicht.'

'Doe dat dan!'

Ze neemt de uitdaging aan, loopt een stukje naar voren, kneedt een sneeuwbal en werpt die in Peters gezicht, die het blijkbaar expres laat gebeuren. Als ze ziet dat hij blijft staan, doet ze het nog een keer en als hij ook dan niet reageert dreigt ze: 'Als je zo blijft staan, gooi ik je op de grond.'

'Dat durf je toch niet!' zegt hij.

'O nee?'

'Nee!'

Ze loopt naar hem toe en geeft hem een duw tegen zijn schouder, waardoor hij warempel op de sneeuw valt. In een flits gaat het door haar heen dat hij haar eens neergooide, maar dan is het weer weg. Ze pakt een handvol sneeuw en wrijft die in zijn gezicht, net zolang tot hij begint te protesteren. 'Houd op, houd op!'

'Ik houd pas op, als je weer overeind staat.'

'Dan moet je me overeind trekken!'

Dadelijk steekt ze haar arm uit en trekt hem overeind. 'Wat ben jij nu voor een vent!' zegt ze.

Ineens verandert hij. 'Nu ben ik het beu!' roept hij, bukt zich, pakt een handvol sneeuw en voor ze erop bedacht is, heeft hij die in haar gezicht gegooid. 'De stand is een-een!' kondigt hij aan.

'Een mooie stand om te stoppen!' roept zij. Ze helpen elkaar met het afkloppen van de sneeuw en gaan weer verder.

Even later lopen ze stevig gearmd verder over de besneeuwde zandweg, de toekomst tegemoet.